Vas a ser Papá

El embarazo semana a semana   ¿Qué le pasa a tu chica?
Compréndelo

Mario Guindel

Vas a ser
Papá

El embarazo semana a semana   ¿Qué le pasa a tu chica?
Compréndelo

EDICIONES PIRÁMIDE

COLECCIÓN «GUÍAS PARA PADRES Y MADRES»

Director:
Francisco Xavier Méndez
Catedrático de Tratamiento Psicológico Infantil
de la Universidad de Murcia

Diseño de cubierta: Mario Guindel

© Mario Guindel
© Ediciones Pirámide (Grupo Anaya, S. A.), 2013
Juan Ignacio Luca de Tena, 15. 28027 Madrid
Teléfono: 91 393 89 89
www.edicionespiramide.es
Depósito legal: M. 29.848-2013
ISBN: 978-84-368-2991-4
Printed in Spain

A mi pequeña Violeta.

Índice

Hola, aquí encontrarás todo lo que necesitas saber

Introducción

Vas a ser papá

Aunque esta frase se habrá dicho millones de veces y de muy distintas maneras desde el origen de la humanidad, la primera vez que nos la dicen a nosotros siempre nos provoca un nudo en la garganta. ¿Ansiedad? ¿Responsabilidad? ¿Miedo? Tranquilo, conocer el proceso del embarazo a fondo es la mejor manera de relajarnos y tomarnos el tema como debemos: una de las mayores alegrías que nos puede dar la vida.

En este libro encontrarás todo lo que debes saber sobre el embarazo, de forma clara y concisa. Cómo se sentirá ella, sus dudas y miedos, qué pasos tenéis que dar, la información médica, las decisiones prácticas y un montón de ideas más para ayudarla. Al fin y al cabo, algo de culpa tienes en lo que va suceder en los próximos meses.

Te va a cambiar la vida... a mejor. Claro que, hasta que suceda, solo tú sabes lo nervioso, preocupado y responsabilizado que estás... Lo de sentirse orgulloso empezará cuando tengas en tus manos al responsable o a la responsable de este cambio.

Se lo dije, luego pasa lo que pasa

Una clase de colegio

Antes de nada, vamos a recordar aquella clase que nos dieron en el colegio sobre la reproducción humana. Deberíamos haber estado más atentos y no quedarnos solo con lo que le interesaba a nuestras hormonas.

En los humanos la reproducción es de tipo sexual con dos sexos diferenciados, el hombre y la mujer. Hasta aquí bien, ¿no? Tanto el hombre como la mujer tienen un aparato reproductor con diferencias morfológicas, anatómicas y fisiológicas entre ellos. En la reproducción humana el desarrollo de un nuevo ser después de la fecundación se realiza en el interior de la mujer, en donde recibe el alimento y el oxígeno necesarios para formarse y madurar hasta su nacimiento. A este tipo de reproducción se la conoce como «vivípara».

La reproducción humana

Es el mecanismo biológico que hace posible que nos reproduzcamos. A través de este proceso también se transmite la herencia genética.

Aunque nacemos con el sexo definido, hay una segunda etapa de desarrollo que se produce en la pubertad. A partir de este punto ya podemos ser sexualmente activos; este cambio está marcado por la capacidad de producir los gametos o células sexuales.

La reproducción comienza con la fecundación del gameto femenino (óvulo) por el gameto masculino (espermatozoide).

La fecundación se produce dentro del cuerpo de la mujer en las trompas de Falopio. El embrión posteriormente se instala en el útero, que será donde se desarrolle y madure. Nueve meses después de la fecundación, el feto y el cuerpo de la mujer están preparados para el parto. Y así desde hace millones de años.

¡Qué tiempos!

Anatomía del aparato reproductor femenino

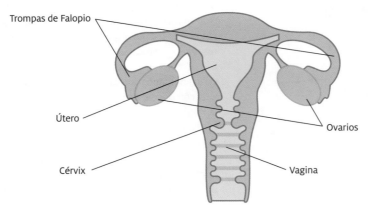

Los órganos genitales internos más importantes son:
- Ovarios: órganos (dos) en donde se producen los óvulos.
- Trompas de Falopio: conductos que unen los ovarios y el útero; aquí se produce la fecundación.
- Útero: órgano en el que se desarrollará el feto.
- Vagina: canal que comunica el útero con el exterior. Camino para la introducción del semen.

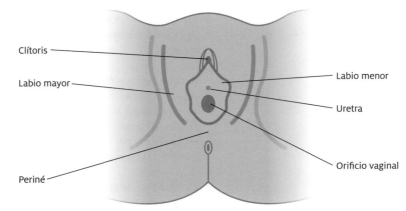

Los órganos genitales externos más importantes son:
- Labios mayores: pliegues de piel cubiertos de vello para proteger la vagina.
- Labios menores: pliegues de piel llenos de terminaciones nerviosas.
- Clítoris: órgano eréctil con millones de terminaciones nerviosas.

Fisiología del aparato reproductor femenino.
Los gametos de la mujer están presentes desde su nacimiento. En la pubertad empiezan a madurar y se van liberando hasta la menopausia. La mujer produce un óvulo maduro, que, si no es fecundado, se destruye y elimina, un proceso que se repite durante la vida fértil de la mujer.

Anatomía del aparato reproductor masculino

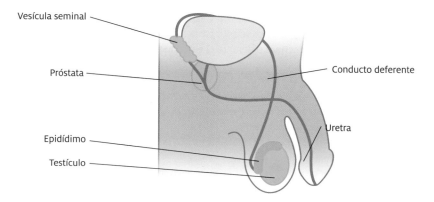

Vesícula seminal

Próstata

Conducto deferente

Uretra

Epidídimo

Testículo

Los órganos genitales internos más importantes son:

- Testículos: órganos (dos) en donde se producen los espermatozoides.
- Conductos deferentes: conductos que unen los testículos con la uretra.
- Uretra: conducto que recorre el pene y comunica con el exterior.

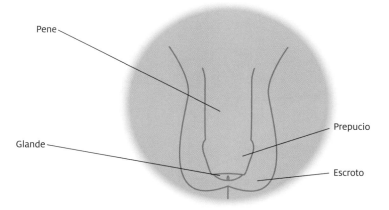

Pene

Prepucio

Glande

Escroto

Los órganos genitales externos son:

- Pene: órgano eréctil con gran cantidad de terminaciones nerviosas. En erección sirve para la cópula al introducirse en la vagina.
- Escroto: bolsa que contiene los testículos.

Fisiología del aparato reproductor masculino.
El gameto masculino se genera en los testículos a partir de la pubertad. Se producen espermatozoides, que cuentan con una larga cola para moverse y poder alcanzar el óvulo. Los espermatozoides se mezclan con los líquidos de las vesículas seminales y la próstata. Esta mezcla se llama semen.

El ciclo menstrual

Al llegar a la pubertad, los óvulos que están en los ovarios desde la concepción empiezan a madurar. Si el óvulo maduro no es fecundado, se destruye y expulsa; este proceso es el ciclo menstrual, que suele durar unos 28 días. Este ciclo es constante hasta la menopausia, aunque puede ser alterado o suspendido por razones endocrinas o durante el embarazo.

Fases del ciclo

1. Las hormonas envían la orden a los ovarios para comenzar la maduración de un óvulo.
2. Cuando el óvulo está maduro, los ovarios producen estrógenos y progesterona para provocar el desarrollo de la capa que reviste el útero, llamada endometrio.
3. Hacia la mitad del ciclo, el óvulo sale de uno de los ovarios hacia la trompa de Falopio.
3. Si el óvulo no es fecundado, muere.
4. Unos 14 días después de haber ovulado, los ovarios dejan de producir estrógenos y progesterona, y esta es la señal para que el endometrio se desprenda y salga por la vagina al exterior. Este proceso se llama menstruación, dura entre tres y cuatro días y, una vez finalizado, vuelve a empezar el ciclo.

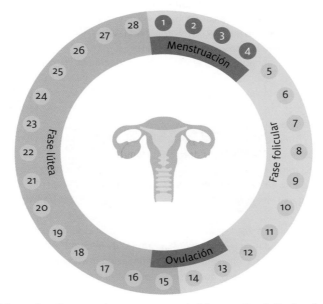

La fecundidad femenina tiene mucho que ver con el ciclo menstrual. Dentro de cada ciclo hay muchos días en que la mujer no es fértil. De hecho solo es fértil cuando el óvulo está maduro y los posteriores dos o tres días antes de que se empiece a destruir. Es cierto que no todos los ciclos son iguales y que no hay una señal evidente de cuándo el óvulo está maduro, por lo que la posibilidad del embarazo está latente siempre.

La mujer suele ser fértil desde que aparece la menarquia en la pubertad hasta que se produce la menopausia, generalmente sobre los 50 años de edad.

Fecundación

Para que se produzca un nuevo ser es necesario que el gameto masculino (espermatozoide) fecunde al gameto femenino (óvulo), para lo cual deben unirse.

Como la fecundación se desarrolla en el cuerpo de la mujer, en las trompas de Falopio, es imprescindible introducir los espermatozoides. Para ello es necesaria la cópula, que consiste en la introducción por parte del hombre del pene erecto en la vagina de la mujer y la eyaculación del semen en su interior.

Después de la eyaculación, el semen pasará por la vagina, atravesará el útero y llegará por fin a las trompas de Falopio. Si los espermatozoides (una eyaculación puede contener millones) encuentran en las trompas un óvulo maduro, lo intentarán fecundar; pero solo uno de los espermatozoides será capaz de atravesar la membrana del óvulo y fecundarlo.

El óvulo ya fecundado es una nueva célula que cuenta con los 23 cromosomas del óvulo y los 23 cromosomas del espermatozoide, es decir, con un total de 46 cromosomas. Este óvulo fecundado se llama cigoto y tendrá que empezar el viaje para implantarse en el útero.

El cigoto empieza a dividirse y a desarrollarse, y cuando contiene 16 células se le conoce como mórula. Su división y desarrollo continúan mientras se desplaza y llega al útero, donde se produce la implantación. El viaje del óvulo fecundado al útero puede durar una semana.

Cuando se implanta en el útero, empieza la fase de desarrollo, que durará nueve meses, hasta que el feto esté lo suficientemente maduro para ser expulsado al exterior a través del parto. Cuando el bebé llegue a la pubertad y sea sexualmente activo, todo volverá a empezar.

Otras técnicas de reproducción

La esterilidad o incapacidad para reproducirse puede afectar al hombre, a la mujer o a ambos. La esterilidad puede deberse a muchos y muy distintos motivos, desde la poca calidad de los espermatozoides hasta problemas anatómicos. Además, estos motivos pueden tener su origen también en distintos factores, desde los psicológicos hasta los ambientales, pasando por la edad.

En los últimos años, y coincidiendo con el retraso de la edad en que se tienen hijos, se han desarrollado ciertos procedimientos que permiten en muchos de los casos solucionar dicha incapacidad. Entre los más conocidos se encuentran la fecundación in vitro y la inseminación artificial.

Fecundación in vitro

Consiste en llevar a cabo la fecundación en el laboratorio para posteriormente implantar el óvulo fecundado en el útero de la mujer.

Este procedimiento soluciona, entre otros problemas, la esterilidad debida a la poca movilidad de los espermatozoides, que les impide llegar al óvulo. También mediante esta técnica se puede fecundar un óvulo de la mujer con el semen de un donante anónimo o un óvulo donado con el semen del hombre. A veces, una mujer es fértil pero no puede gestar, y la fecundación in vitro ofrece la posibilidad de implantar el óvulo fecundado en el útero de otra mujer que sí puede gestar. A esta mujer se la llama «madre de alquiler».

A esta técnica recurren aquellas personas que no tienen problemas de fertilidad pero que quieren tener un hijo solas: las mujeres mediante un donante de semen y los hombres, algo más complejo, mediante una madre de alquiler y una donante de óvulos.

Inseminación artificial

Este procedimiento consiste en introducir el semen en el útero de la mujer. De esta manera se consigue la fecundación de forma natural en las trompas de Falopio de la mujer.

Donación de espermatozoides y óvulos

Como has podido leer, para las técnicas de reproducción asistida muchas veces es necesario recurrir a semen u óvulos de donantes. Sin estas personas que donan, estas técnicas serían imposibles.

Hay muchos más donantes de semen que de óvulos, lo cual tiene una fácil explicación. Para la donación del semen no hay problema, ya que el cuerpo del hombre está hecho para expulsar el semen al exterior. Un hombre solo tiene que masturbarse para poder donar sus espermatozoides. Sin embargo, el cuerpo de la mujer no está hecho para expulsar el óvulo maduro, por lo que hay que extraerlo de él en el momento en que pueda ser fecundado, un procedimiento que no es especialmente agradable para las donantes. Además, piensa que la mujer madura normalmente un solo óvulo por ciclo, mientras que en una eyaculación podemos encontrar millones de espermatozoides.

Dilemas morales

En algunos casos, este tipo de reproducción puede plantear dilemas y controversias de tipo moral, ético, religioso, etc. ¿Es bueno tener hijos sin pareja? ¿Es ético que el bebé sea hijo biológico solo de uno de los padres? ¿Es moral que una mujer geste por dinero el hijo de otra?

Pese a estos dilemas, los investigadores han seguido avanzando en este camino. Hace más de 20 años que nació la primera niña «probeta» y desde entonces miles y miles de parejas han podido conseguir los hijos que la naturaleza les negaba.

Cosas importantes

Si decidisteis tener hijos, seguro que lo habéis pensado con calma más de una vez y más de diez. Las mujeres tienen una especie de reloj biológico o instinto que les orienta más o menos, pero los hombres ¿cuándo están preparados para ser padres? Ni idea: cada hombre es distinto, y seguramente muchos no lo estén nunca.

Lo que está claro es que el nacimiento del primer hijo cambia la vida para siempre. En ese momento desaparece el yo único y aparece el nosotros; de golpe ya nunca estarás solo. A partir del nacimiento del bebé, y seguramente hasta que te mueras, tu hijo estará siempre en tu vida y durante muchos años bajo tu responsabilidad. ¿Y qué implica la responsabilidad? Pues muchas cosas; lo primero es su bienestar físico y emocional, su alimentación, su educación...

Si nos fijamos en otros mamíferos, nos daremos cuenta de que la madre y el padre tienen roles diferentes respecto a su cría. En los humanos, por muy racionales y muy igualitarios que seamos, también. Como padre nunca podrás tener esa unión especial que hay entre madre e hijo, pero tienes otras funciones que no son menos importantes.

Uno de los instintos que un hombre desarrolla al ser padre, quizás el que más, es el de protección. Desde que sepas que tu chica está embarazada, lo notarás claramente.

Ahora que ya está embarazada, la mejor manera de protegerlos es estar informado. No solo es importante la parte médica del embarazo, también la parte emocional es esencial. Si queremos que ese bienestar emocional se conserve, debemos tener en cuenta algunas cosas importantes. Cosas importantes, sí, aunque no sean ecografías, paritorios, etc.

Hay otras cosas importantes, pero a mí lo que me preocupa es el parto.

Embarazo, lactancia y legislación laboral

La legislación de nuestro país no es precisamente la más avanzada. Aquí puedes leer un extracto de diferentes leyes en las que se resumen las normas vigentes.

Permiso de lactancia

- Las trabajadoras, por lactancia de un hijo menor de nueve meses, tendrán derecho a una hora de ausencia del trabajo, que podrán dividir en dos fracciones. La mujer, por su voluntad, podrá sustituir este derecho por una reducción de su jornada en media hora con la misma finalidad. Este permiso podrá ser disfrutado indistintamente por la madre o el padre en caso de que ambos trabajen.
- La concreción horaria y la determinación del período de disfrute del permiso de lactancia [...] corresponderán al trabajador, dentro de su jornada ordinaria. El trabajador deberá preavisar al empresario con quince días de antelación la fecha en que se reincorporará a su jornada ordinaria.

Embarazo

- El trabajador, previo aviso y justificación, podrá ausentarse del trabajo, con derecho a remuneración, por el tiempo indispensable para la realización de exámenes prenatales y técnicas de preparación al parto que deban realizarse dentro de la jornada de trabajo.

Nacimiento

- La mujer puede disfrutar de 16 semanas de permiso de maternidad retribuidas, siempre que haya cotizado al menos 180 días en los cinco años anteriores. Si el parto es gemelar, tiene derecho a 18 semanas; si tiene trillizos, a 20 semanas, etc. Es obligatorio disfrutar de 6 semanas después del parto. Las otras 10 semanas se pueden compartir con el padre de manera alterna y/o simultánea, si ambos trabajan. También se puede disfrutar de este derecho a tiempo parcial, incorporándose al trabajo durante las horas que el trabajador decida. Si el bebé es prematuro o necesita ser hospitalizado después del parto, se puede decidir si se disfruta de la baja por maternidad a partir del alta hospitalaria del bebé, salvo las 6 semanas obligatorias después del parto. El trabajador elige cuándo empieza a disfrutar de este descanso, siempre y cuando se respete el período mínimo de 6 semanas después del parto.
- A efectos de la prestación por maternidad, se consideran situaciones protegidas la maternidad, la adopción y el acogimiento, tanto preadoptivo como permanente, durante los períodos de descanso que por tales situaciones se disfruten.
- La prestación económica por maternidad consistirá en un subsidio equivalente al 100% de la base reguladora correspondiente.
- En los casos de nacimientos de hijos prematuros o que deban permanecer hospitalizados a continuación del parto, la madre o el padre tendrán derecho a ausentarse del trabajo durante una hora diaria. Asimismo, tendrán derecho a reducir su jornada de trabajo hasta un máximo de dos horas, con la disminución proporcional del salario.

Reducción de jornada

- Quien por razones de guarda legal tenga a su cuidado directo algún menor de ocho años tendrá derecho a una reducción de la jornada de trabajo, con la disminución proporcional del salario entre, al menos, un tercio y un máximo de la mitad de la duración de aquélla.
- La reducción de jornada constituye un derecho individual de los trabajadores, hombres o mujeres. No obstante, si dos o más trabajadores de la misma empresa generasen este derecho por el mismo sujeto causante, el empresario podrá limitar su ejercicio simultáneo por razones justificadas de funcionamiento de la empresa.
- La concreción horaria y la determinación del período de disfrute de la reducción de jornada corresponderán al trabajador, dentro de su jornada ordinaria. El trabajador deberá preavisar al empresario con quince días de antelación la fecha en que se reincorporará a su jornada ordinaria.

Los seguros médicos

Para entender bien lo que se explica en este apartado tienes que tener en cuenta en qué parte del globo estés leyendo este libro y adaptarlo a tu realidad. En España, y a día de hoy, el sistema sanitario público es uno de los mejores del mundo, por lo que la medicina privada solo puede aportarnos servicio.

Es cierto que los sistemas públicos son impersonales por naturaleza, y en este caso la medicina privada sí puede compensarlo. A través de un seguro médico le pueden hacer a tu chica un seguimiento del embarazo mucho más personalizado. También será posible que el médico que sigue el embarazo durante todo el proceso sea quien asista el parto.

Por otro lado, conviene tener en cuenta las facilidades que nos puede aportar una clínica privada a la hora de conservar nuestra intimidad. Una habitación exclusiva o que cuente con una zona para ti puede ser interesante.

Si los medios y los mejores médicos los tiene la sanidad pública, solo es recomendable acudir a la sanidad privada si el embarazo es de bajo riesgo y la personalización del seguimiento y la comodidad de la intimidad pesan mucho en vuestras preferencias. El parto puede que sea sencillo y que estéis muy a gusto en la clínica privada, pero antes de planificar todo, mira si además de amabilidad tienen los medios necesarios ante cualquier problema en el parto. A veces estos consisten simplemente en una ambulancia preparada para llevaros corriendo a un hospital público.

Si aun así os decidís por la medicina privada, es más sencillo mediante un seguro médico. Lee bien todas las cláusulas del seguro, porque si el embarazo ya está en marcha, el parto no estará cubierto en la póliza que contrates.

La economía

Ni tiene razón quien considera que un hijo implica muchos gastos ni es cierto eso de que los niños vienen con un pan debajo del brazo. Tener un hijo implica ciertos gastos ineludibles y muchos otros a los que no nos costará tanto hacer frente.

El bebé necesita bien poco; somos nosotros los que necesitamos algunas cosas para sentirnos bien durante este proceso. Hasta que tenga dos o tres años, sus gastos son mínimos, tanto en comida como en pañales, ropa, etc.

Hay una serie de objetos que nos serán necesarios, tales como una cuna, un colchón, un armario, un carrito de paseo, una silla para el automóvil, ropa para vestirlo, etc. Afortunadamente, los abuelos, tíos y amigos están como locos por regalárnoslos, y si no es el caso, hay mil maneras de aligerar esa factura: desde aceptar el préstamo de algunos de estos objetos (seguro que os los han ofrecido) hasta comprarlos de segunda mano. Si vuestra economía es buena, os encantará comprar todo lo que el bebé necesite.

Puede que el bebé acarree indirectamente otros gastos considerables. Si decidís llevar el embarazo y parto en una clínica de prestigio, cambiar de casa porque es un sexto y no tiene ascensor, o de coche porque el que teníais es un deportivo con un maletero minúsculo, hacedlo, pero no se lo achaquéis a él. El bebé no tendría problema en nacer en un hospital público ni en que tú le cargaras seis tramos de escalera en brazos para subir a casa todos los días, ni necesita un gran maletero para su cochecito, sus pañales y su chupete.

Si tu economía no es muy boyante, hay muchas administraciones que ofrecen ayudas, desde los cheques bebé hasta las becas.

La vivienda

Va a ser uno más en la familia y como tal debe tener su propio espacio. Da igual la casa, el piso o la mansión en donde viváis, incluso si la futura madre y tú no vivís juntos. El bebé debe tener su espacio propio. A él le importa bastante poco que sea una habitación de 50 metros cuadrados o un rincón a los pies de vuestra cama, pero es bueno que tenga un lugar reconocible en donde se pueda sentir más cómodo y seguro. Como veremos más adelante, en muchos aspectos nos sale el animal que todos llevamos dentro; en este caso será para preparar el espacio que ocupará el bebé; vamos a anidar.

La casa en donde vivirá el bebé debe ser un lugar limpio, con aire suficiente y sin humedades. Se ha demostrado que cada vez influyen más en la salud las causas ambientales. No todos podemos vivir en una colina respirando el aire más puro del mundo, pero si vivimos en un lugar especialmente contaminado, deberíamos contemplar la posibilidad de mudarnos.

El resto de recomendaciones sobre la vivienda en la que vivirá el bebé son de sentido común.

- Que no tengáis que subir muchos escalones hasta llegar a la vivienda: el peso del bebé más el del cochecito cansan a cualquiera.
- Si hay ascensor en el edificio, comprueba que quepa el cochecito sin cerrar.
- Que no sea un lugar especialmente ruidoso; así evitaremos que se despierte a menudo.
- Que no sea muy frío en invierno ni muy caliente en verano.
- Que no tenga barreras arquitectónicas dentro, por muy bonito que sea. Si tiene escalones en medio del salón, el bebé tarde o temprano se caerá por ellos.
- Que no tenga peligros evidentes, como piscinas a la altura del piso o terrazas poco protegidas.

La crianza

Aunque los niños tienen su propia personalidad, mayoritariamente aprenden por imitación. No desde que articulan su pensamiento sino desde el primer día.

Por ello, las actitudes que tengáis hacia el bebé y las actitudes que tengáis entre vosotros son de gran importancia. Una pareja que actúa de forma nerviosa es raro que tenga un bebé tranquilo. Tratarlo de la manera más tranquila posible y lo aprenderá.

Sin llegar a ser extremista, es bueno para el sueño que el bebé siempre tenga la misma rutina, tanto si está con los dos como con uno solo de vosotros. Si viajáis, es recomendable que dentro de lo posible la mantenga. Las rutinas son previsibles, y saber qué va a suceder nos da tranquilidad a todos.

Lo mejor tanto para la madre como para el bebé es la lactancia materna; si esto no es posible o si después de unos meses se suspende, las leches que hay en el mercado son muy buenas, así que no debéis preocuparos por ello.

Si el bebé se cría en vuestra casa, lo hará en un ambiente controlado, por lo que enfermará poco; por el contrario, si os veis en la necesidad de llevarlo a una guardería, no os alarméis si enferma frecuentemente: es normal.

El pequeño necesita juguetes acordes con su edad; no todos los juguetes son válidos para todas las edades ni necesita cientos de juguetes. Es bueno que disponga de un espacio de juego según vaya creciendo. Un parque o corral es el sitio ideal, ya que nos sirve para que el bebé juegue a su aire y nos aporta tranquilidad si no está en nuestro campo visual. Rota sus juguetes, verás como le vuelven a hacer ilusión, y es que su memoria es un poco de pez.

40 semanas y un día
El embarazo semana a semana

Aquí comienza la información relativa al embarazo en sí. Está dividida en tres trimestres y, dentro de ellos, en semanas. En las próximas páginas encontrarás un montón de información referida al bebé y a tu chica desde un punto de vista masculino, que no machista.

Para ayudarte a entender qué ocurre y a entender a la madre, hemos dividido la información en cinco secciones.

Información médica

¿Qué le ocurre a tu chica?

¿En qué piensa tu chica?

¿Qué puedes hacer para ayudarla?

Información adicional para orientarte

Además, en cada semana encontrarás un diagrama o cuadro con información útil y práctica. También podrás leer un pequeño glosario con algunos conceptos importantes.

Por delante tienes un montón de semanas y el día del parto; en la siguiente página puedes consultar un pequeño índice por tema. 40 semanas y un día: parece una condena pero no lo es.

¿Tienes varices?

Qué pesado te pones con el dichoso libro

23

Semana **4**

Estamos
en camino

Celebrar la noticia
con un pequeño viaje,
le encantará.
Estoy madurando
a buen ritmo…

El test de embarazo

Los primeros síntomas del embarazo, aun antes de la falta del período menstrual, pueden ser el aumento en el volumen de los pechos, el dolor o sensibilidad de estos, el oscurecimiento de los pezones, cansancio, náuseas matutinas y un largo etcétera. Pero, en todo caso, estos síntomas pueden ser subjetivos. Cuando tu chica tenga la primera **falta**, lo mejor es ir a la farmacia a por un test de embarazo.

Los test son muy sencillos por muy digitales que sean: miden los niveles de la hormona GCH en la orina. Una vez que el óvulo fertilizado se ha instalado en el útero, el cuerpo produce esta hormona, que pasa de la corriente sanguínea a la orina, donde la miden los test. Da igual si tu chica tiene que hacer pis en un palito, en un tubo o a la pata coja: el test es un detector de una hormona, nada más.

Los test no son infalibles y pueden dar falsos positivos; el porcentaje de falsos positivos es tan bajo que no merece la pena darle vueltas a la cabeza pensando si será posible que el resultado de vuestro test esté en el 0,02% que falla. Si el test dice que vas a ser papá, lo más seguro es que acabes cambiando pañales en pocos meses. ¡Enhorabuena!

- Comprad dos test de distintas marcas, tanto si sale sí como si sale no; seguro que queréis confirmarlo. Leed atentamente los prospectos: no hay nada peor que un malentendido en este caso y tener que rebuscar en la papelera.

- No se puede estar un poco embarazada; se está o no se está, así que no os volváis locos si el testigo del test aparece de color muy clarito. Si la hormona no está en la orina, no debería aparecer nada.

¿Cuándo sale de cuentas?

Busca la fecha del primer día del último período de tu chica en esta tabla **(D)**; justo debajo encontrarás la fecha probable de parto **(P)**.

Enero

D	1	2	3	4	5	6	7	8	9	10	11	12	13	14	15	16	17	18	19	20	21	22	23	24	25	26	27	28	29	30	31
P	8	9	10	11	12	13	14	15	16	17	18	19	20	21	22	23	24	25	26	27	28	29	30	31	1	2	3	4	5	6	7

Octubre | Noviembre

Febrero

D	1	2	3	4	5	6	7	8	9	10	11	12	13	14	15	16	17	18	19	20	21	22	23	24	25	26	27	28
P	8	9	10	11	12	13	14	15	16	17	18	19	20	21	22	23	24	25	26	27	28	29	30	1	2	3	4	5

Noviembre | Diciembre

Marzo

D	1	2	3	4	5	6	7	8	9	10	11	12	13	14	15	16	17	18	19	20	21	22	23	24	25	26	27	28	29	30	31
P	6	7	8	9	10	11	12	13	14	15	16	17	18	19	20	21	22	23	24	25	26	27	28	29	30	31	1	2	3	4	5

Noviembre | Enero

Abril

D	1	2	3	4	5	6	7	8	9	10	11	12	13	14	15	16	17	18	19	20	21	22	23	24	25	26	27	28	29	30
P	6	7	8	9	10	11	12	13	14	15	16	17	18	19	20	21	22	23	24	25	26	27	28	29	30	31	1	2	3	4

Enero | Febrero

Mayo

D	1	2	3	4	5	6	7	8	9	10	11	12	13	14	15	16	17	18	19	20	21	22	23	24	25	26	27	28	29	30	31
P	5	6	7	8	9	10	11	12	13	14	15	16	17	18	19	20	21	22	23	24	25	26	27	28	1	2	3	4	5	6	7

Febrero | Marzo

Junio

D	1	2	3	4	5	6	7	8	9	10	11	12	13	14	15	16	17	18	19	20	21	22	23	24	25	26	27	28	29	30
P	8	9	10	11	12	13	14	15	16	17	18	19	20	21	22	23	24	25	26	27	28	29	30	31	1	2	3	4	5	6

Marzo | Abril

Julio

D	1	2	3	4	5	6	7	8	9	10	11	12	13	14	15	16	17	18	19	20	21	22	23	24	25	26	27	28	29	30	31
P	7	8	9	10	11	12	13	14	15	16	17	18	19	20	21	22	23	24	25	26	27	28	29	30	1	2	3	4	5	6	7

Abril | Mayo

Agosto

D	1	2	3	4	5	6	7	8	9	10	11	12	13	14	15	16	17	18	19	20	21	22	23	24	25	26	27	28	29	30	31
P	8	9	10	11	12	13	14	15	16	17	18	19	20	21	22	23	24	25	26	27	28	29	30	31	1	2	3	4	5	6	7

Mayo | Junio

Septiembre

D	1	2	3	4	5	6	7	8	9	10	11	12	13	14	15	16	17	18	19	20	21	22	23	24	25	26	27	28	29	30
P	8	9	10	11	12	13	14	15	16	17	18	19	20	21	22	23	24	25	26	27	28	29	30	1	2	3	4	5	6	7

Junio | Julio

Octubre

D	1	2	3	4	5	6	7	8	9	10	11	12	13	14	15	16	17	18	19	20	21	22	23	24	25	26	27	28	29	30	31
P	8	9	10	11	12	13	14	15	16	17	18	19	20	21	22	23	24	25	26	27	28	29	30	31	1	2	3	4	5	6	7

Julio | Agosto

Noviembre

D	1	2	3	4	5	6	7	8	9	10	11	12	13	14	15	16	17	18	19	20	21	22	23	24	25	26	27	28	29	30
P	8	9	10	11	12	13	14	15	16	17	18	19	20	21	22	23	24	25	26	27	28	29	30	31	1	2	3	4	5	6

Agosto | Septiembre

Diciembre

D	1	2	3	4	5	6	7	8	9	10	11	12	13	14	15	16	17	18	19	20	21	22	23	24	25	26	27	28	29	30	31
P	7	8	9	10	11	12	13	14	15	16	17	18	19	20	21	22	23	24	25	26	27	28	29	30	1	2	3	4	5	6	7

Septiembre | Octubre

Buscad un tocólogo

Durante estos meses vas a aprender a contar el tiempo por semanas y enseguida controlarás todos estos términos, pero al principio resulta un poco raro. ¿Por qué empezamos por la semana 4? Enseguida lo verás.

El embarazo dura 40 semanas más o menos; como ni el médico ni vosotros mismos sabéis el día exacto de la concepción, este tiempo es relativo. El médico preguntará por el primer día de su último período y a partir de ahí empezará el cómputo de las 40 semanas. Esto significa que si tu chica está de cuatro semanas, realmente el bebé solo llevará dentro unas dos semanas y lo acabáis de saber. Todo esto suponiendo que ella ovule en la mitad del ciclo, aunque esto no siempre es así, y no todos los ciclos duran lo mismo. De todas maneras, aunque por algún motivo supieras el día exacto de la concepción, no empieces a mirar el horóscopo de tu bebé: menos del 10% de los niños nacen el día en el que se **sale de cuentas**.

No dejéis pasar mucho tiempo antes de ir al médico. Lo importante ya está hecho, pero todo cuidado es poco. Por bien que estén tu chica y el bebé, visitaréis varias veces al médico.

- Busca un médico que os resulte agradable. En los próximos meses lo vais a ver más que a los amigos. Realmente el médico le tiene que resultar agradable a ella, que es la que tendrá que subirse a esa silla que parece de tortura. No pruebes tú a subirte, no tienes flexibilidad suficiente.

- Acompáñala a los controles y pregunta todas vuestras dudas. Aunque no lo reconozca, ella va a estar asustada todo el embarazo.

¡Empiezan los miedos!

Bueno, estáis oficialmente embarazados, pero esto no ha hecho más que empezar; en la mente se acumulan un montón de preguntas que solo el tiempo irá resolviendo. Después de la alegría inicial, empezaréis a preocuparos de mil cosas; los primeros miedos se refieren a la salud del bebé.

El síntoma más común de un aborto suele ser el sangrado vaginal, pero no todos los sangrados significan un aborto. Si tu chica sangra o tiene molestias como calambres o fuertes dolores de cabeza, llama al médico y consúltaselo. Muchas veces se sangra durante las primeras semanas, ya sea por la implantación del **embrión** en el útero o porque el cuello de este esté muy sensible. En cuanto a los dolores, piensa en toda la transformación a la que va a someter su cuerpo durante estos meses: huesos adaptándose, hormonas, etc.

Hay que tener claro que algunas veces el embrión no es viable o el cuerpo de la madre lo rechaza. Un aborto en estas primeras semanas no es tan raro, pero deberíais estar tranquilos; lo más habitual es que los embarazos terminen con un bebé sano y feliz al que tendremos que limpiar y sonar los mocos.

- La vida os va a cambiar radicalmente, estaréis nerviosos y puede que os «tiréis los platos a la cabeza». Ni vais a ser malos padres por tener alguna discusión durante el embarazo ni por supuesto sois los únicos que pasáis por ello.

- Ten paciencia con tu chica; si tú estás asustado, imagínate ella, que es la que va a parir, y quizás a más de un bebé; ¿no lo habías pensado, eh? Tranquilo, más adelante te contamos cómo recuperar el habla.

El gato está nominado

Ahora que ya sabéis que estáis embarazados, seguro que os habéis acordado de que habéis bebido una copa, fumado un cigarro o hecho puenting cuando no lo sabíais. Seguramente no habrá afectado al bebé, pero eso sí, ahora debéis empezar a cuidaros.

Tanto los gatos como, en menor medida, los perros pueden ser portadores de un parásito que causa la toxoplasmosis. La toxoplasmosis puede causar graves problemas al feto, así que si tu chica no está **inmunizada**, el gato debe abandonar la casa. Aunque la toxoplasmosis se transmite por sus heces y puedes ser tú y no ella quien limpie su arena, lo mejor es que disfrute de unas vacaciones en otra casa. ¿Merece la pena arriesgarse?

También pueden causar toxoplasmosis las carnes y verduras crudas y algunos lácteos no pasteurizados. Para ayudar a tu chica, olvídate también tú de consumir carnes que no estén bien hechas, lava cuidadosamente las verduras y vive estos meses sin queso de cabra. También existe la listeriosis, cuya fuente pueden ser pescados crudos o poco cocidos, así que haz como si el restaurante japonés hubiera cerrado.

- A los gatos y los perros se les llega a querer como a uno más de la familia, pero el riesgo es grande. Seguro que tu madre, tu suegra o algún amigo podrá acoger a tu mascota. Cuando vuelva, seguirá igual; bueno, seguro que mucho más gorda si ha caído en manos de tu madre.

- No tenemos gato, la carne nos gusta casi quemada y odiamos el queso feta. Estáis de suerte, pero ¿habéis pensado en el jamón?, ¡también está prohibido!

¿Mellizos?

¿Has pensado por un momento si son mellizos, trillizos, cuatrillizos, etc.? Eso sí sería un buen lío. Si el embarazo es natural, es muy difícil que sean más de dos, pero dos ya es bastante. Los embarazos dobles pueden ser tanto de gemelos como de mellizos, ¿en qué se diferencian?

Los gemelos provienen de un solo óvulo y un espermatozoide. Una vez el óvulo ha sido fertilizado, se divide en dos. Serán dos bebés genéticamente iguales. Los mellizos provienen de dos óvulos fertilizados por dos espermatozoides distintos. Serán dos bebés genéticamente distintos, dos hermanos con la misma edad.

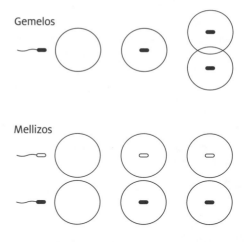

Gemelos

Mellizos

Glosario

Falta. Cuando tu chica está esperando su menstruación y no la tiene en la fecha en que debería.

Salir de cuentas. Se acaba el calendario; si el bebé no sale por su cuenta, lo van a tener que sacar.

Embrión. Si tu chica tiene menos de ocho semanas de embarazo, estamos hablando de un embrión; si ya ha pasado la semana 8, nos referimos a un feto.

Inmunizada. Tu chica ya ha tenido la bacteria y su cuerpo se ha hecho resistente a la enfermedad.

✚

Semana **5**

Fuera vicios

La primera visita al médico

La primera visita al médico será para confirmar lo que ya sabéis, que está embarazada. Esta visita suele ser la más larga y tediosa de todas, y asistiréis a muchas.

El médico le hará una batería de preguntas para redactar su historial clínico y familiar. Las preguntas rondarán en torno a su ciclo menstrual, si ha sufrido algún aborto, su historial médico general, enfermedades hereditarias tanto de ella como tuyas y por último abordará sus hábitos: ¿bebe, fuma, hace ejercicio?... Será la primera ocasión en que tu chica se suba a la silla de tortura para que le realicen un examen completo para detectar los signos físicos del embarazo: reblandecimiento del cuello del útero y el aumento del tamaño del útero y del abdomen.

Solicitará analíticas para saber si tiene anticuerpos de rubéola, hepatitis, toxoplasmosis, ETS, si tiene el azúcar alto, etc. Vamos, una ITV completa. Entre todas estas preguntas se fijará especialmente en su edad; si tiene más de 35 años o antecedentes de enfermedades congénitas y es su primer bebé, el médico os propondrá la realización de pruebas prenatales que proporcionan información relevante del feto.

El dinero que ahorramos en tabaco nos puede servir para los pañales

- Si una mujer embarazada deja que le des al médico información sobre tus antecedentes familiares, te acaba de despejar cualquier duda que pudieras tener respecto a tu paternidad y así acabar con las típicas e inevitables bromas.

- A partir de ahora, tendrás que ayudarla a cumplir las instrucciones del médico al pie de la letra. Ayúdala por puro interés; piensa que si sufre de diabetes gestacional, no va a ser solo ella la que tenga limitada la ingesta de dulces.

Un plan para dejar de fumar

Si fumáis, sabréis que hay un montón de opciones y métodos para dejar de fumar, pero nada que funcione tan bien ni nos haga sentir tan implicados como un plan en pareja para dejarlo.

1
Anotad cada vez que fumáis.
Observad en qué situaciones fumáis y pensad en posibles alternativas, es decir, ¿qué podríais hacer en lugar de fumar?

2
Escribid las razones que tenéis para querer dejar de fumar.
Al menos una razón para el bebé y una para cada uno de vosotros.

3
Calculad cuánto dinero ahorraréis cuando dejéis de fumar e imaginad en qué podríais utilizarlo. Apuntadlo porque eso será parte de vuestro premio.

4
Decidid qué día lo dejaréis; elegid un día que os parezca importante y no lo cambiéis por nada. Pedid a vuestro entorno fumador que os eche un cable y que procuren no fumar cerca de vosotros.

5
Preparaos bien.
Haced algo que os cause placer y relax: pasear, ir a un spa juntos, al cine, salir a cenar... Redactad una lista negra con las situaciones o pensamientos que pueden poner en peligro vuestro objetivo de dejar el tabaco y tened pensadas las formas de reaccionar ante ellos.

6
Empezad. ¡Hoy, día tal, dejasteis de fumar!
Si alguno de los dos cae y fuma un cigarrillo, no os rindáis. Solo será ese. Seguid con vuestro objetivo y animaos el uno al otro.

7
¡Enhorabuena, ya no fumáis!
Podéis sentiros muy orgullosos de lo que acabáis de hacer, por vosotros y por vuestro bebé. No os alarméis si sentís estrés e inquietud, es una señal de que el cuerpo se está adaptando a la falta de nicotina. Tened a mano fruta o agua para cuando aparezcan las ganas de fumar.

¡Celebradlo!

Náuseas, náuseas, náuseas

De todos los síntomas del embarazo, podríamos decir que las náuseas matutinas es el más popular y el más tópico. A todos nos viene a la cabeza la imagen de una mujer que, al levantarse, corre al baño con el estómago del revés… Así que no te asustes si ves que a tu chica le pasa a menudo.

Las náuseas son algo bastante común en el embarazo; las sufren la mayoría de las mujeres, y muchas de ellas llegan incluso a vomitar. Otras consiguen librarse de ellas. No hay una ley escrita; en esto, cada mujer es distinta. Por lo general, estas náuseas aparecen durante el primer mes de embarazo y pueden continuar tres o cuatro meses más; incluso hay mujeres que las sufren durante todo el embarazo.

En la farmacia se pueden encontrar medicamentos que funcionan en la mayoría de los casos. Si ves que las náuseas le causan muchas molestias, debes intentar convencerla de que los pruebe. Durante los primeros meses lo más normal es que ella prefiera sufrir las molestias a consumir cualquier tipo de medicina. Sin darse cuenta, comienza a ser madre de ese embrión que aloja y pone la salud de él por encima de la suya.

- Estas náuseas pueden convertirse en vómitos; ojo: si estos vómitos son intensos, debéis decírselo al médico para que busque otra posible causa y para que controle el peso de tu chica.

- Hay cientos de consejos para reducir las náuseas. Tomar infusiones de jengibre, aumentar la ingesta de vitamina B6, y otras en las que basta aplicar el sentido común. No es necesario que se siga cepillando la lengua con la misma fuerza de siempre si tiene náuseas. En fin…

No es el segundo, son dos

Os acaban de decir que esperáis gemelos. Seguro que te han empezado a temblar las piernas… Pero no te preocupes: si bien es cierto que los embarazos múltiples fueron un desafío durante muchos años, hoy en día son algo muy habitual. Así que deja de temblar hasta dentro de unos meses… Ahí sí que vas a notar una gran perturbación en la fuerza.

Un embarazo múltiple es aquel en que coexisten dos, tres o más fetos en la cavidad uterina, lo que va a imponer al cuerpo y al útero de la futura madre una mayor exigencia: más bebés significan una placenta mayor y mayores niveles de hormonas en circulación. Y las hormonas en circulación no son buenas para su carácter, así que prepárate.

La incidencia general de embarazos múltiples es de aproximadamente 1 cada 100. Tu chica tendrá que visitar al médico una vez al mes durante el primer y segundo trimestres de embarazo y, a partir del último, cada semana. Estos embarazos requieren un seguimiento más estricto debido a que aumentan las posibilidades de que la embarazada sufra alguna complicación, como pueda ser la **preeclamsia**, diabetes gestacional o prematuridad.

- Tu chica deberá evitar hacer grandes esfuerzos y huir del estrés… ¡Imprescindible mantenerlo a raya! A partir del séptimo mes se podría adelantar el parto en cualquier momento. Será muy importante tu colaboración para que tenga un embarazo lo más relajado posible; por cierto, id pensando en la ayuda y apoyo que necesitaréis después del nacimiento. Va a ser mucho, mucho trabajo. Ánimo y recordad que, además del trabajo, ¡también la felicidad llegará por partida doble!

Dejar de fumar

Una de las cosas que más ansiedad va a provocar a tu chica, si es que fuma, es pensar que tiene que dejarlo... Ninguna madre quiere perjudicar a su bebé, pero no cuesta mucho imaginar que no es fácil, así, de pronto, encontrarte con que tienes que abandonar una adicción como es el tabaco.

Lo primero que deberás tener en cuenta es que abandonar el tabaco durante el embarazo es una tarea que corresponde tanto al papá como a la mamá. Ambos sois responsables del pequeño que está en camino, y estaría muy bien que los dos abandonarais ese hábito tan poco saludable. Pero no nos engañemos: dejar de fumar entraña una gran dificultad; por eso una actitud colaboradora con la futura mamá que lo está dejando será mejor que un entorno que la penalice o regañe si no lo consigue a la primera. Eso no hará más que acrecentar su **estrés**, también tremendamente perjudicial para los dos.

Hay posturas que incluso defienden que es preferible fumar algún cigarro a sufrir la ansiedad que provoca la **abstinencia**. Pero esto es simplemente cambiar un mal por otro; si sois fumadores vais a tener que dejarlo por un tiempo, y aquí sí es importante que te comprometas absolutamente con ella. No hacerlo es un gesto de crueldad hacia ella y nada tiene que ver con el bebé.

> • Tu chica no tendrá todo en su contra: diversos estudios plantean que, durante la gestación, su propio organismo será un gran aliado. Debido a los cambios hormonales que alterarán su percepción olfativa potenciando los olores del ambiente, es muy probable que el olor a tabaco le resulte desagradable y molesto.

Pregunta al médico

Durante la semana nos encontramos con distintos temas sobre los que consultar con el médico el día de la visita. Cuando llega ese día, solemos estar tan nerviosos... deseamos saber que está todo correcto, nos preguntamos cómo se verá la ecografía o si habrá crecido. Rara vez nos acordaremos de consultarle nuestras dudas. Para solucionarlo, nada mejor que hacer una lista y no irnos de la consulta sin aclarar todas nuestras dudas.

Cada persona con su situación es un mundo, por lo que todos tenemos dudas distintas. Las más habituales suelen referirse a la conveniencia de nuestros hábitos. Por pequeña que sea la duda, es mejor aclararla.

Seguro que tu chica ha leído que hacer yoga es bueno durante el embarazo, pero ¿es igual de bueno hacer bikram yoga o pilates? ¿Es malo conducir? ¿Puede usar parches de nicotina? ¿Una hora diaria de bicicleta es ejercicio moderado? ¿El sexo es aconsejable en cualquier postura? En fin... Aunque el médico, seguramente, usará más su sentido común que sus conocimientos para aclarar nuestras dudas, no la coartes y deja que pregunte todo. Recuerda que es su cuerpo y no el tuyo el que va a sufrir este gran cambio.

Glosario

ETS. Enfermedad de transmisión sexual.

Preeclamsia. Es una complicación seria del embarazo relacionada con la tensión arterial alta en la madre.

Estrés. Aunque es un mecanismo natural para estar alerta, en la sociedad moderna lo hemos convertido en una situación permanente de agobio, y en este caso tiene efectos muy nocivos sobre la salud.

Abstinencia. Este síndrome se da cuando retiramos de golpe una sustancia o emoción adictiva a la que hemos acostumbrado a nuestro cuerpo.

Semana **6**

Inestabilidad emocional

¿Me quieres o soy un idiota? Defínete

Te quiero, idiota

⊕ Aborto espontáneo

Aun estando en las mejores condiciones y la mejor disposición, hay que contemplar la posibilidad, nunca deseada, de que sufráis un aborto espontáneo o natural.

La pérdida involuntaria de un embarazo antes de las 20 semanas de gestación es mucho más frecuente de lo que se cree y tiene lugar cuando se expulsa el embrión prematuramente. El primer síntoma de un aborto espontáneo es, habitualmente, un sangrado o hemorragia vaginal, aunque no os alarméis, que no siempre que una mujer embarazada pierde algo de sangre o encuentra manchas en su ropa interior en el comienzo de su embarazo acaba abortando. Si tiene estos síntomas, acudid al médico enseguida para que pueda determinar si requiere un tratamiento de emergencia.

Algunos abortos espontáneos se detectan en visitas de rutina, cuando el médico no puede escuchar los latidos cardiacos del bebé o nota que el útero no está creciendo como debería. A menudo el embrión interrumpió su desarrollo unas semanas antes de que la embarazada tuviera algún síntoma. Si el médico sospechara que ha podido sufrir un aborto, pedirá una ecografía para comprobarlo.

Si tu chica está ya en su segundo trimestre y un ultrasonido muestra que el cuello de su útero (cérvix) se está acortando o abriendo, puede que el médico le proponga hacerle un **cerclaje uterino** o cervical para evitar un aborto. Si ya le han confirmado que su embarazo se ha detenido, quizá aún tenga que expulsar el tejido embrionario. Hay varias opciones para enfrentarse a esta situación, y será bueno que habléis de ellas con el médico.

Lo más común es que se tenga que someter a un **legrado** o raspado uterino para expulsar el

Malditas hormonas, benditas hormonas

Entender lo que le sucede a tu chica puede llegar a resultar muy difícil para nosotros. Vamos a conocer a las causantes de este desaguisado temporal para saber bien a quién odiar.

Gonadotropina coriónica
Regula los ovarios y las otras hormonas en los primeros momentos del embarazo. Es la que se detecta en los test.

Estrógenos
Regulan la progesterona y facilitan el crecimiento y desarrollo de la placenta.

Progesterona
Es la hormona protectora por excelencia. Favorece la anidación del embrión.

Lactógeno placentario
Aparece en las primeras semanas y se asegura de que las proteínas y la glucosa que ingiere la madre lleguen al feto.

Adrenalina
Sirve para mantenernos alerta y luchar por la supervivencia.

Oxitocina
Induce las contracciones para iniciar el parto, y también favorece la lactancia al estimular el pezón. Es la encargada de regular las emociones.

Endorfinas
Constituyen una anestesia natural que segrega nuestro organismo.

Relaxina
Encargada de relajar músculos y articulaciones favoreciendo la elasticidad de la musculatura de la pelvis.

Prolactina
Su función es producir leche una vez nacido el bebé.

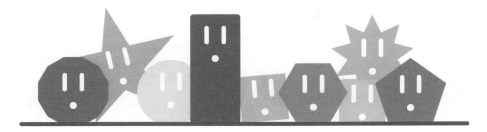

tejido embrionario que hay dentro de su cuerpo. Aunque en algunos casos se puede esperar hasta que el cuerpo expulse naturalmente el tejido, la espera puede ser demasiado difícil emocionalmente.

Aunque hay que pasar por el quirófano para someterse a un legrado, el procedimiento suele ser rápido. Tras la sedación por parte del anestesista, se procede a la dilatación del cuello uterino y se extrae el tejido fetal. Después hay que tomar durante un tiempo una medicación especial para que el útero se contraiga y se detenga el sangrado. Independientemente de que tu chica aborte naturalmente o le hayan extirpado el tejido, sentirá posteriormente leves dolores de tipo menstrual y tendrá algo de hemorragia durante una o dos semanas.

- Es muy importante que no sienta que ha sido culpa suya y tenga claro que sufrir un aborto espontáneo es una experiencia bastante común. Debéis pensar fríamente.

- Ayúdala a asimilar la pérdida y entiende que es probable que ella tenga sentimientos encontrados que le resulten intolerables, con mucha carga de culpabilidad, tristeza e impotencia por no poder haber retenido ese bebé en su cuerpo. Dadle al duelo el tiempo que necesitéis. La pérdida de un embrión es una experiencia muy dolorosa; internamente cada uno tiene sentimientos de distinta índole. Una recomendación es respetar la forma en que el otro lleva su duelo. No le quites importancia.

- En cuanto a ir a por otro bebé... Es normal que a tu chica le preocupe la posibilidad de perder otro embarazo, pero si se ha sufrido un solo aborto espontáneo, nada indica que vaya a repetirse.

Todo huele raro

Es más que probable que durante su embarazo tu chica comience ser increíblemente sensible a ciertos olores que antes no le afectaban. Es lo que se denomina «hiperosmia».

Está causada por un aumento de sus niveles de estrógenos, hormonas que afectan a la sensibilidad olfativa natural. Está comprobado que la embarazada experimenta un aumento de la sensibilidad al olor y al sabor, ya que sus sentidos se vuelven más selectivos. Esta extrema sensibilidad generalmente ocurre al comienzo del embarazo, cuando el cuerpo aún tiene que adaptarse a los cambios que se producen, especialmente los relacionados con la fluctuación de hormonas en su interior. Si bien algunas mujeres dejan de tener molestias con los olores tras el primer trimestre, otras en cambio mantienen esta condición durante meses o hasta el propio parto.

Aunque cada embarazada es un mundo, generalmente los cítricos y la lavanda les resultan agradables, mientras que los inciensos suelen resultarles cargantes. El aroma a jengibre es excelente para contrarrestar los olores desagradables, además de tener propiedades para detener las náuseas.

- Si los olores que le molestan son domésticos, como, por ejemplo, la despensa, prepárate a limpiarla hasta que el olor sea de su agrado. Da igual si ocurre una o diez veces, es lo que toca.

- Regálale una fragancia fresca y que guarde los perfumes intensos para dentro de unos meses. Puede que en vez de sus perfumes sean los tuyos los que no aguante, así que cámbialos por otros. Si es tu olor corporal el que rechaza, ten paciencia y recuerda que son las hormonas.

Del llanto a la risa

No pienses que tu chica se ha vuelto loca cuando veas que últimamente le cambia mucho el humor, es algo muy frecuente. Todo un conjunto de factores: hormonales, afectivos y laborales…, conspirarán para conducirla a un estado de **desequilibrio emocional**, o al menos así es como lo sentirá ella. Es más que probable que sienta una mayor necesidad de protección y que tienda a expresarse afectivamente con más efusividad… Al menos más de la que solía.

Sus hormonas son las responsables de estos cambios repentinos. Podría decirse que los neurotransmisores de su cerebro reciben niveles de hormonas diferentes de los normales; esto, sumado a que los niveles de progesterona y estrógenos se multiplican, da por resultado un brutal aumento en su sensibilidad y de la función emocional de su cerebro, de modo que, por mucho esfuerzo que haga, no todo está en su mano.

Invítala a que dedique más tiempo a hacer lo que le gusta y le relaja, a que contacte con otras embarazadas, a que hable con sus amigas… Y por supuesto, a que descanse. Hacer ejercicio suave le vendrá de maravilla.

- Es la parte más complicada para ti del embarazo de tu chica. Sin saber por qué, esa mujer de la que estás enamorado y a la que ves casi perfecta se ha convertido en alguien insufrible e insoportable, que no se rige por la lógica y a la que es imposible complacer. Solo te queda tener paciencia y comprensión. Pasará.

- A veces es imposible evitar una discusión con sus hormonas. Recuerda que no es ella quien discute y conserva tú la calma por los dos.

El perro durante el embarazo

Convivir con un perro tiene un montón de efectos positivos para cualquier persona. En el caso de las embarazadas, además, logra que paseen de forma habitual, lo que reduce su riesgo de padecer sobrepeso. Si en vuestra casa el perro es uno más de la familia, quizás sea demasiado exiliarlo por unos meses. Pero, ojo, siempre que se tomen algunas medidas.

Además de comportamientos obvios como corregirle si se apoya sobre la barriga de la futura mamá, ella no debe encargarse de su higiene. El perro debe estar sano y con sus vacunas en regla; además, es importante ir preparándolo para cuando el bebé esté en casa.

Debes suplir parte del tiempo que ella destina al perro, pues cuando llegue el bebé va a resultar complicado que pueda dedicarle el mismo tiempo que antes, aunque sea por motivos logísticos. Si el perro ya no está tan habituado a sus mimos, no habrá un gran cambio cuando llegue a casa el pequeño y no tendrá celos.

Está demostrado que los niños que se crían con perros en su entorno más cercano tienen un mejor desarrollo de su **sistema inmunológico**. Evidentemente, siempre que el entorno y el perro estén controlados. Una cosa es no ser sobreprotectores y otra es no usar la cabeza.

Glosario

Cerclaje uterino. Es una pequeña operación en la que se cose una parte del cuello uterino para que este aguante cerrado hasta el parto.

Legrado. Es una operación que consiste en el raspado del útero para eliminar tejido embrionario.

Desequilibrio emocional. El cerebro no asimila las emociones de una forma natural.

Sistema inmunológico. Es el sistema natural de nuestro cuerpo contra infecciones, bacterias, virus…

Semana **7**

El mundo de las molestias

Voy a tener un bebé con el Manneken Pis

¿Qué forma tiene el bebé?

Has de saber que entre la séptima y la décima semanas del embarazo se considera que el embrión se convierte en **feto**. En esta etapa, en la ecografía ya será posible ver el embrión y escuchar los latidos de su pequeño corazón. Tendrá un tamaño aproximado de entre 4 y 8 milímetros de longitud, un poco más que el ancho de la uña del dedo meñique, y pesa menos de un gramo. Tiene una cabeza enorme con relación al resto del cuerpo. Su minúsculo corazón palpita a toda velocidad: 140-150 latidos por minutos, el doble que el de ella.

El cerebro, el corazón, los riñones, los pulmones, el páncreas, los músculos, los nervios, la médula ósea… todo está en marcha: es el verdadero milagro de la vida. El embrión sigue los «planos» que hemos creado sus padres y está empezando a ejecutar un plan milimétrico que concluirá el día en que salga a este mundo. Un mundo que necesita personas como él para mejorar.

Todavía tiene la piel traslúcida, e incluso el hueso de su rabadilla parece un rabito. Pero ya está aquí, sus ojos (con párpados y todo), sus orejas, su nariz… Ahora sí, ya podemos empezar a buscarle un nombre. Viene a quedarse.

- Sobre todo en las primeras ecografías debemos estar junto a nuestra chica y compartir con ella esos momentos. A veces no es fácil ver el embrión en la ecografía: ayúdala, cálmala y comparte su emoción.

- Aunque ella todavía no pueda sentir que el embrión se mueve en su interior, ya percibe a través de sus cambios corporales lo que es una nueva vida. Los hombres hasta la primera ecografía no sentimos ese momento especial.

Alimentos buenos, alimentos malos

Aquí tienes una lista de los alimentos recomendables y de los que debe evitar durante el embarazo. Aunque no se debe obsesionar, su alimentación es muy importante durante estos meses. Ayúdala con este tema, así evitarás ser «el culpable» por no recordárselo.

LOS BUENOS

Salmón
Rico en proteínas y ácidos grasos omega-3. El salmón es uno de los pescados que menos mercurio tiene.

Huevos
Ricos en vitaminas y minerales, están llenos de proteína, algo esencial durante el embarazo.

Zanahoria
Batata, boniato, etc. Son una buena fuente de vitamina A, vitamina C y fibra.

Legumbres
Todas las legumbres son ricas en proteínas y en fibra, necesaria para despertar al intestino.

Cereales integrales
Muy ricos en fibra, nutrientes y vitaminas. Son el desayuno perfecto.

Nueces
Ricas en ácidos grasos omega-3, son una fuente importante de minerales.

LOS MALOS

Pez espada
Rico en proteínas y ácidos grasos omega-3. Tiene demasiado mercurio.

Los malos

Queso de cabra
Los quesos no pasteurizados pueden contener bacterias que afecten a tu chica y al embrión.

Alcohol
Puede aumentar el riesgo de aborto espontáneo y provocar trastornos del desarrollo en el feto.

Jamón
Todos los embutidos no cocidos pueden contener peligrosas bacterias.

Café
Durante el embarazo hay que limitar la ingesta de excitantes o reducirla al mínimo.

Verduras crudas
Al igual que el resto de alimentos crudos, pueden contener bacterias. Hay que lavarlas muy bien.

Se mea, se mea

Una de las nuevas situaciones molestas que vivirá la futura madre durante su embarazo será tener ganas de orinar constantemente. Si antes aguantaba varias horas sin ir al baño, eso ahora quedará en el olvido. Durante las primeras semanas de embarazo, el aumento de volumen corporal, la aparición de hormonas placentarias y una mayor eficacia de los riñones para eliminar más rápidamente los residuos del cuerpo serán las causantes de este incremento de ganas de orinar inicial.

Después, mientras que el útero aumenta su tamaño y se eleva durante el segundo trimestre, algunas mujeres notan que no tienen que orinar con tanta frecuencia como antes. Y hacia el final del embarazo, el bebé presiona la vejiga al adoptar la posición para el nacimiento, causando de nuevo una mayor frecuencia de **micciones**. En algunas ocasiones esta presión puede producir nicturia (ganas de orinar frecuentemente durante la noche) y pequeños escapes de orina.

No olvidéis que el aumento de la micción durante la gestación es fisiológico, y, si a pesar de intentar todos los trucos para evitarlo, no lo consigue... pensad que es algo temporal.

- Puede llegar a ser muy molesto tener que ir al baño cada diez minutos, pero es quizá la molestia habitual del embarazo a la que es más sencillo enfrentarse. Sentarse cerca de los baños cuando vais al cine no supone un gran trastorno.

- Practicar los famosos ejercicios de Kegel, evitar las bebidas diuréticas o con estimulantes, inclinarse hacia adelante para vaciar del todo la vejiga, etc., son pequeños trucos muy efectivos.

¿Dónde vamos a vivir?

Quizá vivís en un moderno loft, en un adosado en las afueras o en una antigua casa del casco viejo... ¡sin ascensor! Cuando llegue vuestro peque a la casa, hay cientos de cosas que tendréis que tener en cuenta, y una de las preguntas que más quebraderos de cabeza os traerá será: ¿podremos vivir bien aquí?

Todo lo que os venía de maravilla en vuestra casa de ensueño como pareja quizá ahora no sea más que un inconveniente... O quizá no...
No solo habréis de preparar toda la casa para el bebé de la familia, quizá sea el momento de sencillamente cambiar... Por tamaño, comodidad, distancia a centros de salud...

Si la opción, después de sopesar los pros y los contras, fuera hacer una mudanza... ¡ojo!, tened en cuenta que cambiar de casa es una de las vivencias que más estrés suele generar, y a esto le tenéis que sumar las malas jugadas hormonales que está sufriendo tu chica, que debe evitar cargar peso, que no debe respirar polvo, etc. Tened claro en lo que os metéis.

Si decidís quedaros en vuestra casita, quizá tengáis que hacer alguna obra para adaptarla al bebé durante sus primeros años.

- Aunque parece un tema sin demasiada importancia, debes dedicarle todo el tiempo que necesite. Ningún hombre había pensado tanto en la utilidad del ascensor hasta que tuvo que subir cientos de veces el pesado cochecito del bebé por las escaleras. Antes de sufrirlo en tus carnes, no seas obstinado y acepta consejos.

- En un año el bebé correrá de un lugar a otro y llegará a los enchufes. Tenedlo en cuenta si decidís hacer reforma.

Comer sano

Por suerte ya no hay nadie que se tome al pie de la letra la popular frase «una mujer embarazada debe comer por dos». A partir de ahora es conveniente que tu chica ponga especial atención en su dieta. Realmente apenas tendrá que comer más cantidad de alimentos, sino más bien estar pendiente de las características nutricionales de estos para asegurarse de que van a estar muy bien alimentados tanto ella como el embrión que lleva dentro.

Si tu chica tiene un peso adecuado al inicio de su embarazo, no necesitará calorías extra durante el primer trimestre. Durante el segundo trimestre el bebé apenas necesitará que añada 300 calorías más por día, y en torno a 450 calorías adicionales por día durante el tercer trimestre. Si tiene **sobrepeso** o está baja de peso, lo mejor será que hable con su médico de ello y elaboren la dieta más apropiada.

Ganar bastante peso durante la primera mitad del embarazo es normal. Su cuerpo ya se va preparando y empieza a almacenar reservas grasas y nutrientes para que estén disponibles para más adelante. Que no se preocupe, que en unos meses su cuerpo se transformará y su barriga tendrá todo el protagonismo.

- En estos temas es mejor que no opines demasiado. Si el tema del peso siempre es espinoso en una pareja, imagínate con las hormonas de por medio. Intenta no contribuir a que se salte su dieta con demasiada frecuencia.

- Aunque ellas no se lo crean, una mujer embarazada no es menos atractiva aunque gane algunos kilos. Nosotros lo sabemos, aunque ellas no parecen tenerlo tan claro. Dile cuánto te gusta.

¿Alcohol?

¿Por qué no es recomendable tomar alcohol durante el embarazo? Cuando una mujer embarazada consume alcohol, su bebé también lo hace. El alcohol en la sangre de la madre pasa de la placenta al bebé a través del cordón umbilical. Vamos, que si se bebe una cerveza, nuestro bebé también lo hace, y si se bebe dos, pues igual. Esta regla no solo se aplica con el alcohol: muchos de los otros estimulantes se trasmiten al feto de igual manera.

El consumo de alcohol puede causar un aborto espontáneo, muerte fetal y una variedad de trastornos de por vida, conocidos como trastornos del espectro alcohólico fetal (TEAF). Evidentemente, la cantidad, la frecuencia y la graduación del alcohol tienen mucho que ver con las consecuencias que hemos expuesto.

Volviendo a la realidad, te diremos que tu chica debería aplazar esas cervecitas para dentro de unos meses... Pero tomarse una cerveza o un vino de forma ocasional normalmente no causará en el bebé nada malo. Es más, si es capaz de relajarse por tomar una cerveza con las amigas, seguramente al bebé le siente hasta bien. En este caso los hombres salimos ganando. Una cerveza fría o un buen vino nos sentará estupendamente y al bebé no le hará ningún daño. Eso sí, no te pases dando envidia.

Glosario

Feto. Es el estado de desarrollo que va desde el fin de la etapa embrionaria hasta el nacimiento.

Micciones. Es el proceso de expulsión de la orina por nuestro organismo.

Sobrepeso. Es el exceso de peso sobre un patrón marcado en relación con la talla. No siempre es obesidad (exceso de grasa), puede ser un exceso de masa ósea, músculo o líquidos.

Semana **8**

Molestias y más molestias

La malvada gripe

Un resfriado o una gripe pueden ser especialmente peligrosos cuando una mujer está embarazada. Su sistema inmunológico es más vulnerable, y además, debe tener mucho cuidado con ciertos medicamentos.

Aunque el hecho de estar embarazada no incrementa las posibilidades de padecer una gripe, sí eleva su riesgo de sufrir ciertas complicaciones derivadas, generalmente de tipo respiratorio, como bronquitis, neumonía y enfermedades pulmonares, por lo que es conveniente que tome algunas precauciones para prevenirla.

Además, no solo ella podría tener mayores peligros si sufre una gripe durante su embarazo, también el bebé puede verse afectado; por ello es claro que todo lo que ayude a evitar que enferme no estará de más.

A la primera señal de alarma, tu chica debe ir al médico. Con suerte todo se quedará solo en un resfriado. En el caso de que contraiga un virus, su médico le aconsejará la conveniencia o no de tomar algún fármaco **antiviral**.

Si andamos un rato todos los días, ella está mejor y yo me ahorro el gimnasio

- En general basta con usar el sentido común. La vacuna antigripal es un modo efectivo de prevenir la enfermedad y no tiene ningún efecto adverso para el bebé. Otras precauciones, como evitar aglomeraciones, no estar en contacto con enfermos o lavarse las manos con mucha frecuencia, suelen funcionar para evitar los factores patógenos. Aplícatelas tú también: si tú caes, es mucho más fácil que caiga ella.

- Ojo con usar antibióticos durante el embarazo: cualquier medicamento debe ser prescrito por un médico, no lo tomes a la ligera.

El dormitorio del pequeño

No queda tanto para el nacimiento del bebé, las semanas se pasan corriendo. Tenemos que preparar el lugar que ocupará el bebé en la casa. Además del espacio físico en sí con sus colores y sus cenefas, es importante que tengamos en mente lo que necesitará durante sus primeros meses.

Cuna

Debe ser resistente, con la separación justa entre barrotes, y debe permitir colocar el colchón a distintas alturas para que se ajuste al crecimiento del bebé.

Colchón

Un colchón firme que cuente con dos caras para invierno y verano.

Protector

Aunque el bebé duerme en pañales, nunca está de más proteger el colchón contra escapes.

Ropa de cama

Con dos o tres sábanas ajustables será suficiente. Es recomendable una manta fina.

Cobertores

Evitan que el bebé pueda golpearse con los barrotes de la cuna al girarse. No deben ser ni muy grandes ni muy pesados.

Armario

Es recomendable que el bebé tenga su propio armario o sus cajones específicos en el vuestro. Ver la mayoría de su ropa de un vistazo facilita mucho la elección de esta.

Alfombra

Tanto si es de juegos como si es normal, conforme crezca necesitará un espacio por donde moverse y que sea suficientemente mullido. Ojo, hay que aspirarlas muy bien.

Cambiador

Algunos contienen incluso la bañera. Si te parecen muy altos y por tanto peligrosos si el bebé se os escapa, siempre puedes utilizar un cambiador de viaje.

Comunicador

Es de mucha utilidad para poder estar pendiente del bebé sin tener que estar viéndole.

Sillón confortable

Puede que paséis más de una noche junto a su cuna, así que conviene tener un sillón cómodo a los pies de su cama. Ella también lo podrá usar para amamantar al bebé.

Estufa

Dependiendo de las condiciones climáticas, puede ser necesaria.

Neceser

Es bueno tenerlo a mano. Debe contener: pañales, toallas húmedas, cambiadores, baberos, crema hidratante, tijeras, bastoncillos infantiles, peine y colonia.

Botiquín

No nos ocupa nada y siempre es útil. Debe contener: sacamocos, crema para escoceduras, termómetro y un antitérmico.

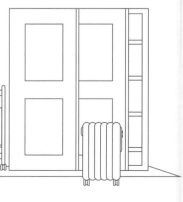

Todo tipo de dolor

Gestar es un trabajo muy duro. Acoger y dar vida a una nueva criatura en el interior del propio cuerpo es toda una proeza, y requiere muchos cambios, esfuerzo y energía; por eso es normal que el cuerpo de tu chica se resienta y envíe algunas señales de alarma. No será extraño que te dé la sensación de que cada día se queja de un nuevo dolor o molestia, y no es que ella sea una blandengue... ¡Lo tiene!

Además de las dolencias habituales por el sobrepeso, es probable que tenga:

- Dolores de cabeza. Los dolores de cabeza son comunes durante el embarazo.
- Fatiga. La gran cantidad de energía que el bebé demanda puede dejarla agotada.
- Dificultad para respirar. Sentirá que su diafragma es presionado por el bebé.
- Dolor en las ingles. Los músculos y los ligamentos alrededor de su útero están empezando a estirarse.
- Dolores musculares. El embarazo ejerce mucha tensión y fuerza sus posturas, y ciertos ligamentos adquieren **laxitud** para poder adaptarse a la metamorfosis física.
- Pies hinchados. Su cuerpo va a retener muchos líquidos y eso puede producir hinchazón en sus piernas y pies.

> - El cuerpo de tu chica se prepara para alojar al bebé y ser capaz de expulsarlo. Está constantemente cambiando durante estos meses, por lo que es común que le duela todo. En muchas ocasiones no queda más que echarle paciencia e intentar ayudarla en todo lo que podamos. Casi todos los síntomas son normales y no debes darles demasiada importancia. Si algún dolor persiste o se agrava, no dejéis de consultar con el médico. Solo él puede determinar hasta qué punto son normales las molestias.

La habitación del bebé

Una de las cosas que pronto os pondréis a imaginar y planificar, sobre todo tu chica, será el cuarto del bebé.

¿Por qué es tan importante si la mayoría de las veces los bebés duermen junto a sus papás durante los primeros meses? Parece que los motivos van más allá de la simple necesidad de buscarle un lugar al futuro nuevo miembro de la familia y que esta «preocupación» responde a un **instinto** maternal ancestral y casi animal conocido como «la preparación del nido». Aquí nos damos cuenta de que no somos tan distintos de las familias de animales que vemos en los documentales de naturaleza.

Cuando empiece a soñar con el cuarto del bebé, deja que le dedique todo el tiempo del mundo... Hay algo instintivo, que igual tú no eres capaz de comprender, que hace que para ella sea especialmente importante.

También podría ser que le diera por ponerse a arreglar y limpiar a fondo la casa. Todo obedece a lo mismo. No creas que le ha dado un ataque de locura. Sencillamente se está preparando para el acontecimiento de la llegada de un miembro nuevo al clan.

> - Este tema es tan «animal» que no esperes tener la mínima capacidad de decisión. Implícate, eso le gustará, pero solo hasta el punto que ella te deje. Hacer una lista de las necesidades básicas, como la cuna o el armario, antes de pensar en colores y cenefas de patos, ayudará a determinar lo importante.
>
> - Ten en cuenta cuál es vuestra idea de familia y si habéis pensado en más bebés cuando se pase el susto del primero.

Cuida su salud

Ahora que está embarazada, es más importante que nunca que se cuide. Los pilares de su salud y, de forma totalmente directa, de la de su futuro bebé se pueden resumir en lo siguiente:

Seguimiento médico

Es imprescindible que lleve al día sus citas médicas prenatales. Ellas le confirmarán que todo va bien, y si surge alguna complicación, la detección temprana puede ser la clave para que no pase a mayores.

Nutrición

Se está alimentando y nutriendo para dos. No es momento de escatimar calorías. Durante un embarazo normal se tiende siempre a engordar y no hay que angustiarse por ello. Seguir una dieta equilibrada a base de abundante fruta, verdura y cereales será fundamental.

Ejercicio físico

El ejercicio físico moderado es recomendable durante todo el embarazo. Lo óptimo son los ejercicios de bajo impacto, los que requieren un esfuerzo limitado. Entre los más indicados están la natación, el senderismo, el ciclismo y el yoga.

- Estás ante la oportunidad de tu vida para darle un descanso a tu cuerpo. Si compartes con ella la nutrición, el ejercicio físico moderado, el descanso y la tranquilidad, estarás también preparando tu cuerpo para los primeros meses del bebé, que suelen resultar agotadores.

- A veces, en nuestro afán por hacer las cosas bien, puede que descuidemos lo importante a favor del trabajo. Durante el embarazo tu chica debe ser egoísta y cuidarse. Recuérdaselo.

Descanso y sueño

Es importante que tu chica cuide su descanso de manera especial. Debe intentar dormir tanto como le sea posible. A medida que su barriga vaya creciendo, le será más difícil encontrar una postura para dormir con comodidad.

Estrés

Hay que hacer todo lo posible por mantenerlo a raya. La nueva situación, lo que se avecina, sus cambios físicos y, sobre todo, sus hormonas harán que esté más vulnerable que nunca a sufrir **ansiedad**, cambios de humor, ataques de nervios...

¿Qué hago yo?, te preguntarás. Sencillo: atiende, escucha y ayuda. Hay temas en los que, por mucho que quieras, será imposible ayudarla. Pero también es cierto que puedes crear las condiciones necesarias para que ella se sienta un poco mejor en casi todos los ámbitos.

Intenta que tenga un embarazo lo más tranquilo posible; es uno de los momentos más importantes de su vida y sería estupendo que te sintiera a su lado durante el proceso. No que estés a su lado, sino que te sienta a su lado.

Y no te enfades porque tu chica insista en que seas perfecto, ella solo quiere que alcances su nivel.

Glosario

Antiviral. Médicamente indicado para tratar la infección generada por un virus.

Laxitud. Los tejidos se relajan para permitir los cambios necesarios en el cuerpo de la futura mamá.

Instinto. Son nuestras pautas de comportamiento por naturaleza. Son pautas que no han sido adquiridas conscientemente.

Ansiedad. Sentimiento de desasosiego que puede llegar a producir reacciones físicas muy negativas.

Semana **9**

La báscula está tonta

Empieza a coger kilos

Tu chica está empezando a coger kilos… Está embarazada, es normal… ¡Ojo! Sin agobiarse demasiado… debe empezar a tener cuidado con ese peso que aumentará estos primeros meses. Tanto mucho como demasiado poco son perjudiciales; el aumento de **peso óptimo** vendrá determinado por el peso que tuviera antes de quedarse embarazada.

Para que conozca si está bien de peso, si tiene sobrepeso o si debería engordar un poco, puede utilizar el índice de masa corporal, que ofrece unos valores estándares de los niveles de grasa óptimos según el peso y la estatura de la persona; aunque, a decir verdad, estos valores no dicen demasiado, de modo que lo mejor será que lo revise con su médico.

Lo más conveniente es aumentar de peso de forma lenta y continua. Pero no debería preocuparse en exceso. Además, en cada visita al médico, este la pesará y hablará con ella de su evolución; depende de tantos condicionantes que es posible que el médico quiera que aumente de peso más de lo normal o que incluso baje algunos kilos durante el embarazo. Le bastará con estar atenta al aumento de peso general y seguir las indicaciones.

Me podrás llamar gorda cuando lo esté, ¿entendido?

- Tanto por problemas médicos anteriores como sobrevenidos durante el embarazo, puede que sea muy necesario el ejercicio físico moderado para ayudar a no coger demasiado peso. Ya sabes, después de cenar puede ser el momento ideal para esas largas y necesarias caminatas.

- Ella necesita consumir más calorías, pues dentro de su panza está surgiendo una vida. Antes de ponerte a comer lo mismo que ella, piensa que en pocos meses ella perderá la panza, y tú no.

¿Parto? ¿Qué parto?

Tenemos que empezar a pensar en cómo queremos que sea el parto. Hay diferentes tipos de parto: elegid el que os haga sentir más cómodos, pero recordad, que lo importante es que salga bien. Si sale bien, poco os importará que sea en un taxi camino del hospital.

PARTO EN CASA

- Sigue el principio de respeto de la fisiología de la mujer, sin intervenciones médicas.

- La futura mamá dispone de intimidad y de todo el tiempo que necesite.

- Son partos atendidos por matronas o doulas.

- El dolor se alivia a través de masajes, posturas, respiración, bañera de agua caliente, pelotas de dilatación...

- Por mucho que confiemos en la capacidad de la matrona, deberíamos tener claro qué hacer si surge alguna complicación.

PARTO EN CLÍNICA

- Aunque respeta la fisiología de la mujer, está todo listo para actuar en caso de complicaciones.

- La futura mamá dispone de una intimidad relativa, depende mucho de la clínica u hospital.

- Son partos atendidos por matronas y médicos.

- El dolor se alivia a petición de la parturienta mediante sedantes e incluso anestesia, la famosa epidural.

- Está todo preparado por si hiciera falta realizar a la parturienta una cesárea u otra intervención.

PARTO EN EL AGUA

- Normalmente se realiza en clínicas acondicionadas, aunque últimamente está de moda en casa.

- La intimidad de la parturienta depende del lugar donde se vaya a parir.

- Es necesario contar con un especialista para evitar riesgos.

- El contacto con el agua caliente hace la función de una epidural natural por sus efectos relajantes.

- Nacer bajo el agua es quizá el medio más natural y nos ahorra dolor y traumas. Si es en una clínica, será mucho más seguro.

Cansancio absoluto

Los tres primeros meses del embarazo son agotadores... Además de la sensación constante de cansancio, puede ser que tu chica tenga sueño todo el tiempo.

Esto se debe a que su cuerpo está empezando a fabricar el complejo sistema que se encargará del desarrollo del bebé, además de la comprensible carga emocional que conlleva un acontecimiento de esta envergadura. A ello se suman otros factores: los cambios hormonales, relajación muscular, dificultad para conciliar el sueño y las náuseas y vómitos que la pueden dejar sin fuerzas...

Puede que no tenga fuerzas para hacer nada, le cueste concentrarse y quiera pasarse el día descansando... Es lo común en estos primeros meses de **gestación**. La presencia y duración de este cansancio dependen de cada mujer, pero lo normal es que durante el segundo trimestre comience a sentirse mejor.

Sería francamente extraño que tu chica no se sintiera cansada. Un cuerpo embarazado trabaja de manera más intensa en reposo que un cuerpo no embarazado haciendo ejercicio. Es fácil que puedas imaginarte su desgaste.

- En esta sociedad en la que todos vamos corriendo, muchos de nosotros no hacemos caso a lo que nos pide nuestro cuerpo. En este caso tienes que ayudarla a obedecerlo. Si está cansada, que descanse y que duerma lo que necesite. Preocúpate de ayudar en todo lo que puedas, te lo agradecerá.

- Aunque parezca contradictorio, es muy bueno hacer algo de ejercicio. La vida sedentaria favorece la sensación de cansancio.

Tipos de parto

Tu chica debe elegir el tipo de parto que más seguridad le dé, y hacerlo bien informada. Desde el momento en que se enteró de que estaba embarazada, para ella comenzó la cuenta regresiva hasta el día del parto. Es muy probable que ese momento tan esperado le genere incertidumbre y miedo, sobre todo si se trata de su primer bebé; de ahí que cuanto más informada vaya, más segura y tranquila se sentirá.

La decisión más importante que debéis tomar a este respecto es si queréis que el parto sea en casa o en una clínica. Una vez elegida vuestra opción, debéis decidir los medios que queréis tener a vuestro lado. En nada se parece un parto en casa, aunque sea asistido, a uno bajo el agua en una clínica. Ninguno de los dos es mejor que el otro; simplemente debéis elegir aquel que os haga sentir, sobre todo a ella, más cómodos.

La teoría y la experiencia nos indican que una mujer sana no debería tener problemas para parir en casa sin más ayuda que una **matrona**, y la verdad es que suena muy bien, más íntimo y agradable. Pero también tenéis que sopesar qué hacer si se produce algún problema durante el parto.

- En este tema encontraréis dos corrientes de opinión muy definidas. La que considera el parto algo totalmente natural, como especie animal que somos, y la que, respetando esta concepción, opta por la tranquilidad que aportan los medios físicos y el equipo médico de una clínica. Piensa que aunque no sea el parto más bonito del mundo, parir en una clínica que disponga de una buena unidad de maternidad y neonatología también es una buena opción. ¡A pensar!

Productos tóxicos

Una de las cosas a las que tu chica tendrá que prestar especial atención es al universo de los productos tóxicos. La exposición a productos químicos durante el embarazo puede tener repercusiones, como aborto, nacimiento prematuro o serios problemas físicos y **neurológicos** de nacimiento.

Nuestras casas son un auténtico arsenal de estos productos: insecticidas, disolventes, barnices y pinturas, quitamanchas, limpiadores, amoníaco... Y aunque no todos implican un riesgo durante la gestación, es importante que los tengamos en cuenta y sepamos un poco más de ellos.

Los insecticidas usados de forma adecuada no implican riesgo para la gestación; tampoco los productos de limpieza, como los quitamanchas, limpiadores abrasivos, quitapolvos, lejía, amoníaco, etc.

Los barnices, las pinturas y los disolventes pueden suponer un riesgo para el desarrollo del bebé, por lo que hay que proceder con mucha precaución al exponerse a ellos. Lo mejor es dejar de utilizarlos en cuanto se está embarazada. Además, hay que tener en cuenta que,

al ser volátiles, deben guardarse muy bien tapados. Cuestión de cambiar los pinceles por el lápiz durante unos meses.

Pero no solo en casa estamos rodeados de tóxicos químicos; en el trabajo, y según sea este, también puede haber importantes focos de riesgo, por ejemplo en peluquerías, tintorerías, droguerías... Hay una ley que regula las condiciones de los empleados que trabajan en contacto con sustancias tóxicas, y especialmente de las embarazadas.

¿Y qué sucede con la fotocopiadora?

Contrariamente a lo que se suele pensar, hacer fotocopias durante el embarazo no supone ningún riesgo dado que el haz luminoso suele ser solo luz. Cuando sí hay que extremar la precaución es cuando se manipulan los tóner, y no olvidar la ventilación de la sala.

Si tenéis cualquier duda sobre algún producto, tanto doméstico como de uso habitual en el trabajo, no dudéis en preguntarle al médico; hay mucho «saber popular» en torno a este tema, y él mejor que nadie os podrá decir realmente cuáles son los riesgos de intoxicación que tu chica debe evitar.

* Decíamos que el uso de productos de limpieza y similares es seguro durante el embarazo. Lo que no debemos hacer nunca es mezclarlos por nuestra cuenta, pues puede que la mezcla sí resulte un producto muy tóxico, se esté embarazada o no. Además, muchos de ellos pueden desprender gases durante su mezcla, gases que irían al sistema respiratorio directamente. Acostúmbrate a no cambiar nunca un producto químico de su envase; parece elemental, pero quién no conoce el caso...

Glosario

Peso óptimo. El que tenemos entre los 17 y los 19 años aproximadamente. No, en serio, es el peso ideal conforme a nuestra altura y complexión física para el desarrollo de una actividad. En este caso la de concebir, gestar y parir un bebé.

Gestación. Desarrollo del feto en el interior del útero materno.

Matrona. Enfermera especializada en obstetricia y ginecología, también conocida como comadrona. Muchos partos no requieren de más intervención que la suya.

Neurológicos. Referentes al sistema nervioso.

Semana **10**

Cambios y más cambios

La metamorfosis

Tu chica cambia y cambiará aún más...

Su pecho

Su pecho se hinchará y aumentará considerablemente de tamaño debido al incremento de sus niveles de estrógenos y progesterona.

Su piel

También sus pezones, sus genitales externos y la región anal pueden verse más morenitos. Las hormonas del embarazo son las causantes de que su cuerpo produzca más pigmentación.

Sus movimientos

¿Está como más torpona? Durante el embarazo va a producir una hormona llamada relaxina, que relajará los **ligamentos** de su cuerpo haciéndolo menos estable.

Su concentración

Puede que la notes mentalmente confusa, con dificultad para recordar las cosas. Todo (incluyendo su trabajo..., tú...) será menos importante que la llegada de su futuro bebé.

Esta es solo una pequeña parte de la gran lista de cambios de toda índole que experimentará durante su embarazo.

¿Dónde está mi chica? ¿La habré perdido para siempre?

- Dicen que las embarazadas están resplandecientes, y quizá se deba a que su piel se estira y desaparecen algunas arrugas. No se lo digas.

- Que tenga que comprarse ropa nueva es algo que está previsto como parte de los cambios del embarazo, pero... ¿es que también le van a crecer los pies? Sí y no. De longitud, no; pero debido a la retención de líquidos puede que se le hinchen tanto que tu chica llegue a calzar un número más.

¿Cuánto peso debe ganar tu chica?

Aunque depende mucho del peso y la condición física de la madre en el momento de quedarse embarazada, lo idóneo es que tu chica gane entre 11 y 15 kilos durante el embarazo. Ni todos van a desaparecer tras parir ni se va a quedar con ellos para siempre. ¿Dónde van esos kilos?

600 g **en la placenta.**
Pedazo de placenta.

1 kg **líquido amniótico.**
Lo justo para nadar.

1 kg **en el útero.**
Se hace enorme.

3 kg **almacén de grasas.**
Especialmente en las caderas.

1,4 kg **aumento del volumen de líquidos.**
Retiene todo.

600 g **aumento de pecho.**
Como poco.

1,4 kg **aumento del volumen de sangre.**
Mayor circulante.

3,5 kg **el bebé en sí.**
En el fondo, el protagonista no se lleva tanto.

Su piel y su pelo

Además del aumento de peso, algunos de los cambios más notorios que verás en tu chica se producirán en su piel y su cabello, como:

Estrías

A medida que crecen el vientre y los senos durante el embarazo, pueden resultar estirados y **desgarrar** irremediablemente la piel. Casi todas las mujeres embarazadas sufrirán estrías en la piel del abdomen, los glúteos, los senos o los muslos.

Cabello y vello

Los cambios hormonales en el embarazo hacen que aumente el crecimiento del cabello o vello. A veces el cabello se vuelve más grueso, y otras, crece en áreas donde no existía.

Las uñas

A veces pueden crecer con mayor rapidez, y otras, tornarse quebradizas.

Es posible que alguno de estos cambios le causen perplejidad dado que afectan directamente a su aspecto y al modo en que ello se percibe. Por suerte, la mayoría de ellos desaparecerá después de que dé a luz, algunos inmediatamente y otros en pocos meses.

- El mundo de la estría le traerá por la calle de la amargura, y lo peor es que se puede hacer muy poco. Hay una infinidad de cremas para evitar las estrías, pero en la mayoría de los casos solo mantienen la piel más hidratada y más elástica; el resto dependerá de lo que se tenga que estirar la piel conforme ella engorde. Tú colabora moviendo la cabeza hacia arriba y hacia abajo; a veces, estos temas les pueden causar más preocupación y ansiedad que cualquier prueba médica de la que nosotros huiríamos.

¿Dónde dar a luz?

Una de las primeras preocupaciones que tendrá tu chica es decidir en qué lugar va a dar a luz. Esta es una decisión muy importante, ya que no todos los centros tienen los mismos equipamientos ni servicios: unos tienen mejores tecnologías, otros son más acogedores...

La atención al parto en España varía increíblemente de unos hospitales a otros: si es un gran hospital público, si es una clínica privada, si es una maternidad, etc. Para escoger el lugar adecuado, quizá os ayude a tomar la decisión responder a esta serie de preguntas:

- ¿Dónde está ubicado? ¿Cuánto se tarda en llegar desde casa?
- ¿Qué tal es su equipo de emergencias?
- ¿Qué tipo de sala de **neonatos** tiene?
- ¿Cuáles son sus índices de cesáreas, episiotomías y mortalidad?
- ¿Qué procedimientos se siguen tras el nacimiento del bebé?
- ¿Podrá la mamá amamantar al bebé inmediatamente después del parto si le apetece?
- ¿Podrá tener continuamente al bebé en su misma habitación?
- ¿Podré quedarme con ellos en la habitación las 24 horas del día?

- Importante: aunque el hospital que elijáis lo conozcas de toda la vida, date una vuelta en el transporte en que vayáis a ir: las dudas en ese momento no le sentarán demasiado bien a una primeriza con dolores.

- Cada sistema sanitario es un mundo; en nuestro país el sistema de salud pública es tan bueno que los hospitales privados son una opción interesante solo si es un parto de bajo riesgo y deseamos una atención personalizada.

Seguimos con los kilos

Tanto aumentar mucho de peso como ganar demasiado poco pueden ser perjudiciales para la futura mamá y para el bebé, por lo que es fundamental que no pierda de vista sus kilos.

Lo óptimo es que su aumento de peso sea progresivo. Durante los tres primeros meses no debería engordar más de un par de kilos, debido no solo a las náuseas, sino también al tamaño del feto y del útero, y a la menor retención de líquidos. Durante el segundo trimestre, si tu chica tiene un peso normal, debería subir entre 4 y 4,5 kilos, y en los últimos tres meses puede aumentar entre 5 y 5,5 kilos. Lo normal es que en la última etapa el aumento de peso sea más rápido; por esto es importante cuidarse desde el principio, para no comenzar con kilos de más. En general, y considerando una ingesta promedio de 1.800 **calorías** diarias, sería necesario agregar unas 400-450 calorías en la dieta diaria. Pero esto son solo cifras generales; lo importante es que ella tenga claro qué es lo que más le conviene de forma individualizada.

Algunos de los errores más frecuentes que se suelen cometer para controlar el peso son los siguientes:

- Sentido común, sentido común... comer algo más sano y con sentido, nada más. Más que los kilos en sí, importa el estado de ella. Si se pone muy pesada, que se pondrá, como haríamos todos, le puedes recordar que al dar a luz bajará de golpe algunos kilos, y si le amamanta, en pocos meses se quedará como nueva.

- Ojo, un bebé enorme no es síntoma de una buena alimentación, y además su venida al mundo será algo más difícil.

- Saltarse comidas. El bebé necesita recibir nutrientes de forma regular. Lo ideal es comer en pocas cantidades varias veces al día.

- Seguir una dieta baja en grasas. El consumo de grasas saludables es esencial en el embarazo, sobre todo los ácidos grasos omega-3 (presentes en nueces, semillas de linaza, aceite de girasol y pescados como salmón y atún), ya que son importantes para el crecimiento y el desarrollo del sistema nervioso central del feto.

- Pesarse todos los días. En lugar de poner toda la atención en la báscula, es preferible centrarse en una buena alimentación. Lo aconsejable es que este registro lo realice el médico en los controles periódicos.

Aunque los médicos recomiendan un aumento total aproximado de unos 12 kilos durante los nueve meses de embarazo, esto no debe preocupar en exceso; sencillamente bastará con prestarle atención. Si llega al día señalado con un buen peso, más fáciles le resultarán el parto y la posterior recuperación.

El sobrepeso y la mala alimentación pueden ser causa de una placenta abundante en grasas y de un bebé con alto peso. Y el bajo peso, especialmente durante los tres primeros meses, podría poner en riesgo el embarazo.

Glosario

Ligamentos. Bandas de fibras muy resistentes que unen los huesos con las articulaciones.

Desgarrar. Romper, rasgar o hacer trozos por la fuerza mecánica sin usar ningún tipo de instrumento.

Neonatos. Se denomina así a los bebés desde su nacimiento hasta las cuatro semanas de vida.

Calorías. Nuestro cuerpo necesita energía. Esta energía que tomamos la medimos en calorías. Una caloría es la energía necesaria para elevar 1 °C la temperatura de un 1 g de agua.

Semana **11**

No le sienta nada mal

Factores de riesgo

Dado que algunas mujeres tienen mayores posibilidades de un embarazo de alto riesgo, ya sea por sus antecedentes genéticos, por su estilo de vida, por padecer alguna enfermedad previa o ciertas dolencias que afectan durante el embarazo, es fundamental que tu chica y tú podáis identificar cuáles son los factores de riesgo potenciales de cara a actuar con el cuidado especial que requiera cada caso.

Los factores de riesgo más habituales en la gestación son: la edad (niñas menores de 14 años o mujeres mayores de 35 años); el peso (por debajo o por encima del normal); sufrir preeclamsia (complicación relacionada con la subida de tensión); tener un embarazo múltiple; que la madre sufra malnutrición o **anemia**; antecedentes de pérdida de un embarazo; antecedentes familiares de enfermedad genética; hábitos poco saludables (consumo de drogas, alcohol, tabaco) o tener alguna enfermedad previa: diabetes, hipertensión, cardiopatías, problemas renales...

Existe un gran conjunto de factores de riesgo en el embarazo, por lo que es importante conocerlos para poder obrar en consecuencia.

Ella dirá lo que quiera, pero está guapa

- Los factores son eso, factores. Hay miles de embarazos que llegan a buen término aunque los padres tengan esos factores de riesgo. Eso sí, el control médico en estos casos tiene que ser exhaustivo para prevenir.

- El cuerpo no entiende de factores sociales. Hoy en día es normal tener el primer embarazo después de los 35 años, pero para el cuerpo de tu chica ya es algo tarde, por lo que debe extremar los cuidados.

A sudar...

El ejercicio físico hará que tu chica se encuentre mejor durante el embarazo, siempre que no exista ningún problema. Además de mejorar el humor, algo que nos importa mucho, puede contribuir a que el parto sea más corto y la recuperación mejor. Quizá te sirva para motivarla.

Ciclismo

El ciclismo se puede practicar sin problemas hasta el quinto mes. A partir de entonces se recomienda otro ejercicio ante el temor de caídas.

Senderismo

Lo mismo que caminar pero en un entorno más bonito y con un aire mucho más puro. Las sendas no deben ser abruptas, en fin...

Natación

La natación cansa un montón, pero es uno de los mejores ejercicios; durante el tiempo que esté en el agua se sentirá ligera.

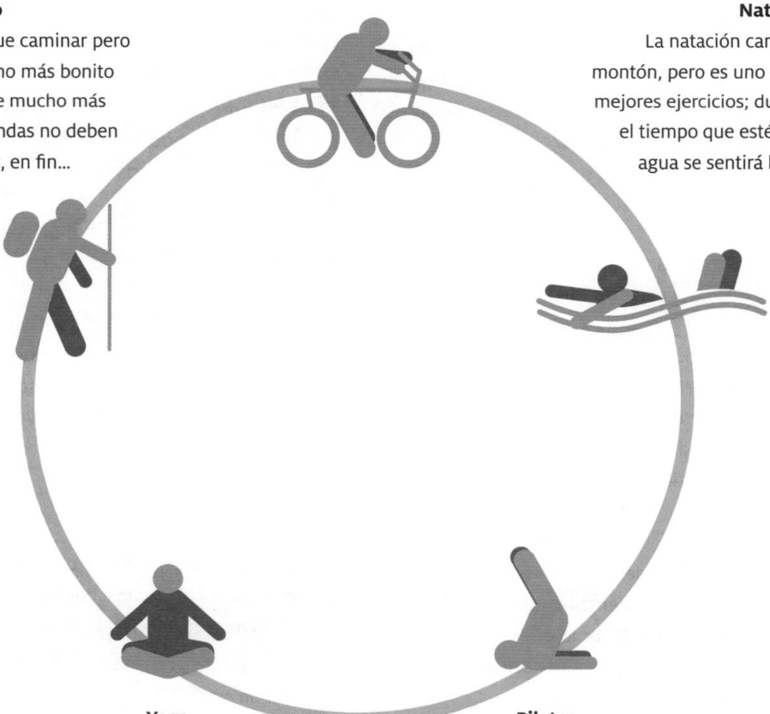

Yoga

El yoga es el ejercicio perfecto para las embarazadas. Las mueve, las enseña a respirar y las relaja. La flexibilidad le ayudará en el parto.

Pilates

Contribuye a que tu chica mejore su postura y a que muchas de las molestias ocasionadas por el embarazo desaparezcan.

Manos hinchadas

Es normal que su cuerpo produzca y retenga más líquido durante la gestación, particularmente en los últimos meses. Y ello puede causar una hinchazón leve (edema), especialmente en las piernas, tobillos y pies, y a veces afecta también a las manos y la cara. Y esta hinchazón puede empeorar hacia el final de la jornada o durante los meses más calurosos del verano.

El líquido adicional de su cuerpo le ayuda a prepararse para el embarazo y el parto. Permite que sus tejidos apoyen el crecimiento de su bebé y prepara su **área pélvica** para el parto y nacimiento. De hecho, una gran parte de estos líquidos son la causa de su aumento de peso durante el embarazo. Durante la última etapa de gestación, su útero en crecimiento aumenta la presión en las venas que bajan a sus piernas y pies. Esta presión reduce la circulación sanguínea y hace que se acumule más líquido en sus pies y tobillos.

Si la hinchazón es especialmente llamativa o repentina, particularmente en las manos o cara y alrededor de los ojos, podría ser una señal de preeclampsia, caracterizada por la hipertensión y la retención de líquidos.

- Lo peor que puede hacer es estarse quieta de pie, y lo mejor, tener las piernas en alto. No siempre es posible, por lo que también debe beber mucha agua y caminar diariamente; seguro que notará mejoría.

- La hinchazón debe desaparecer a los pocos días de haber dado a luz; si no es así, debéis consultarlo con el médico. No confundir la hinchazón con el resultado de las últimas dos semanas de caprichos.

Estar guapa

Quizá tú seas de esos papás que adora la nueva y **voluptuosa** figura de tu chica y la encuentres realmente guapa; quizá no tanto, y te resulte un poco extraño verla tan diferente... En este caso solo intenta imaginar cómo se sentirá ella consigo misma; es posible que también se vea radiante, pero puede que se sienta algo incómoda con su nueva figura; al fin y al cabo, está cambiando a pasos agigantados...

Ante todo, procura que se sienta guapa y házselo saber. Ganar peso, que le crezca el pecho, tener de nuevo acné, verse manchas en la cara, varices en las piernas, tener hemorroides... no entra precisamente en los cánones de belleza, absurdos e imposibles en un cuerpo de embarazada, a los que nos tienen acostumbrados.

La belleza es algo más, y va de la mano de la felicidad. Cuanto mejor se encuentre anímicamente, más hermosa se sentirá, y viceversa. Todos estos cambios y sus fluctuantes hormonas pueden provocar alteraciones en su ánimo y llevarla a cuestionarse si seguirá siendo atractiva para ti y si alguna vez volverá a recuperar la figura que tenía...

- Por una vez las hormonas no van en contra de tu chica, pues gracias a ellas tendrá una piel más sonrosada y atractiva, su cabello estará más brillante y con el aumento de pecho podrá lucir un estupendo escote. No está mal, ¿no?

- Puede que todos estos cambios no sean de su agrado; si es así, ayúdala a cambiar de look. Peluquería, masaje, perfume, ropa nueva, etc. Si lo piensas bien, por un día no es tanto sacrificio, y seguro que levanta ese ánimo perdido.

Hacer ejercicio

Una de las recomendaciones que el médico le habrá dado a tu chica habrá sido que salga a caminar y que evite el exceso de **sedentarismo**. «Que salgáis a caminar» quiso decir. Está comprobado que el ejercicio físico es beneficioso tanto para la mamá como para su bebé. No solo la hará sentirse mejor al liberar endorfinas sino que le permitirá aliviar los dolores de espalda y mejorar su postura al fortalecer y tonificar los músculos, dormir mejor, tener menos estrés y ansiedad y, además, sentirse más bonita.

Hay estudios que han demostrado que el ejercicio puede disminuir el riesgo de que una mujer sufra complicaciones en el embarazo, como la preeclampsia y la diabetes. La prescripción de ejercicio físico ha de ser individualizada e idealmente bajo seguimiento médico o especialista.

- Se recomienda el ejercicio aeróbico realizado a intensidad moderada, manteniendo frecuencias cardíacas maternas por debajo de 140 latidos por minuto.
- Ha de realizarse de forma regular (tres o cuatro sesiones de 20-30 minutos por semana).
- Se deben evitar intensidades elevadas, así como variaciones bruscas en la cantidad.

- Aunque lleven años metiéndonos en la cabeza que el ejercicio es lo mejor del mundo, tu chica no puede convertirse en una atleta profesional justo en este momento, o, si ya lo es, seguir siéndolo.

- Aunque resulte obvio decirlo, una actividad de intensidad moderada, flexibilidad, relajación, fuerza muscular y ejercicios respiratorios se pueden hacer perfectamente en la cama después de una conversación agradable.

- Es fundamental el calentamiento previo y el estiramiento posterior.
- Se deben evitar todos los movimientos de gran amplitud por la hiperlaxitud articular existente.

Los deportes más recomendados durante el embarazo son la natación, el ciclismo y el senderismo por sendas suaves, que pueden realizarse hasta bien avanzada la gestación siempre que se eviten terrenos irregulares o rocosos por el riesgo de caídas.

Deben evitarse todos los deportes de contacto y aquellos que se practican sobre superficies duras o que exigen un excesivo trabajo de la musculatura abdominal.

También están aconsejadas aquellas actividades que desarrollen la flexibilidad, la relajación, la fuerza muscular y los ejercicios respiratorios; lo mejor es practicar yoga o pilates.

Está probado que es bueno, y si es en compañía, mucho mejor. Ofrécete voluntario a acompañarla, lo vas a hacer de igual forma. Así vas a quedar estupendamente y te vas a ahorrar alguna que otra mirada fea. Además, es andando cuando se suelen decidir los temas importantes y el quehacer diario. Mejor coger estas cosas en caliente; si pasa el tiempo, se solidifican y es más complicado cambiarlas.

Glosario

Anemia. Es la baja concentración de hemoglobina en la sangre.

Área pélvica. Región anatómica que contiene y rodea la pelvis.

Voluptuoso. Es aquello que provoca en nosotros un intenso placer a través de nuestros sentidos.

Sedentarismo. Carencia de ejercicio físico en nuestra vida cotidiana.

Semana **12**

Cuídala mucho

Pliegue nucal

El estudio de translucencia nucal es una prueba no **invasiva** que se realiza al final de primer trimestre del embarazo y que orienta sobre la posibilidad de que el feto presente síndrome de Down u otras alteraciones genéticas y patologías cardíacas.

Tu chica habrá de realizarse esta prueba entre la semana 11 y la semana 14 de embarazo. Dado que se realiza a través de una ecografía, y por tanto no conlleva ningún riesgo para la salud del feto ni la de la madre, se recomienda a todas las embarazadas. El pliegue nucal es una región de la nuca del feto donde se acumula líquido de manera natural. La acumulación excesiva de líquido se debe a una sobreexposición del colágeno del tipo VI codificado por un gen en el cromosoma 21. El punto de corte se sitúa en 1/270. Cuando el resultado es inferior a 1/270, existen mayores posibilidades de que existan alteraciones cromosómicas; por el contrario, cuando el resultado es superior a 1/270, significa que existen menores posibilidades de que existan.

Hay que tener en cuenta que es una prueba de presunción o sospecha, es decir, no emite un diagnóstico, solo es un indicador.

Hacer el desayuno será un buen comienzo

- Esta prueba tiene tanto de médica como de estadística. Los resultados son comparados con el *screening* del primer trimestre, con datos sobre edad y peso de la madre, etc. Todo ello nos da un indicador, nunca un diagnóstico.

- Las únicas pruebas que nos darían un diagnóstico definitivo serían la biopsia coriónica o una amniocentesis, vamos, analizar los tejidos o el líquido amniótico. Estas pruebas nos la recomendarán según el indicador.

El armario de tu chica

Hasta ahora tu chica ha podido seguir usando más o menos la misma ropa, pero más pronto que tarde te tocará acompañarla de tiendas. Si te adelantas a ella y te marcas un regalo realmente útil, quizá te puedas escapar del tormento. Hazle ese favor a tu suegra, a tu cuñada...

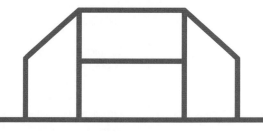

Ella no va a cambiar de forma de vestir debido al embarazo; no lo intentes, compra una prenda que le guste; pero antes lee esto.

Ropa interior
Podrías hacerlo, estamos seguros de tu capacidad, pero ¿para qué? En este caso es mejor dejarla a ella que elija sus sujetadores.

Pantalones
Los hay de mil tipos, y solo se diferencian en que son de tejido elástico o incorporan una banda elástica en la cintura.

Vestidos
No compres un vestido normal de una talla más. Los vestidos premamá tienen su patrón adaptado para que no se levanten por la panza.

Camisetas ceñidas
Mejor sin mangas, no falta mucho para que todo le dé calor. Si es larga, mejor, siempre quieren tapar algo aunque tú no te lo expliques.

Chaquetas
Al igual que las camisetas, dentro de poco a tu chica se le estropeará el termostato, son ideales para quitárselas y ponérselas mil veces.

Faldas
Aquí hay menos problemas: las hay con la cintura elástica y con distintas longitudes; todo dependerá de cuánta pierna le gusta enseñar.

Camisetas
¿Duerme con tus camisetas? Es el momento de comprar una para ella, y así no te quitará más. Recupera tu camiseta de Motörhead.

Blusas
Lo importante es que la blusa tenga un buen escote. Aunque sea por unos meses, seguro que le gustará lucir un buen escotazo.

Abrigos
Un plumífero le permitirá ir muy abrigada y no preocuparse por las formas. Ni las modelos tienen formas con este tipo de abrigo.

Zapatos
Compra un modelo ancho o de un número mayor del que calza. Da igual el modelo: seguramente lo cambiará por otro pero estará contentísima.

Remiten las náuseas

Es más que probable que, si ha sufrido náuseas y vómitos al comienzo de su embarazo, estos remitan de forma espontánea pasados estos primeros meses. Parece mentira que el cuerpo sea tan poco previsible algunas veces y otras funcione como un reloj suizo, pero así es. Llega el segundo trimestre y las náuseas desaparecen.

Realmente esto tiene su lógica: los niveles de hormonas van disminuyendo y es esta variación la que hace que las alteraciones digestivas desaparezcan y, con ellas, las náuseas. Aun así, no está de más que siga alguna **pauta** dietética y nutricional que le ayude a regular sus digestiones, como ingerir raciones pequeñas, tomar hidratos de carbono por la mañana e incrementar el consumo de frutas y verduras.

No siempre es así; hay mujeres que sufren estas molestias durante todo el embarazo, pero, si no es el caso, estás de enhorabuena. Por fin dejaremos atrás esos ratos en que la ves con mala cara y mal humor, y en los que no puedes ayudarla. Hay otros síntomas o molestias que remiten al final del primer trimestre, y es que sin darnos cuenta ya estamos terminando un tercio del proceso.

- Evidentemente, las náuseas pueden volver a presentarse esporádicamente, pero también pueden ser sustituidas por otro síntoma, como retención de líquidos, acidez de estómago, etc., por lo que tampoco debemos echar las campanas al vuelo y pensar que a partir de ahora será un camino de rosas.

- Aprovecha para prepararle todos los días el desayuno: verá que te preocupas por ella y por fin podrá tomárselo sin salir corriendo.

Cómo decírselo a la familia

Ahora que sabéis que estáis esperando un bebé, y una vez que lo tengáis asimilado... llegará el momento de darle a la familia las buenas noticias. Decirles a vuestras familias que estáis esperando un hijo es uno de esos noticiones cuyo anuncio puede ser fácil y divertido o convertirse en algo muy complicado.

No está de más que antes de decidir la manera de dar la noticia os preparéis un poco. Considerad cómo es probable que reaccionen: ¿pensarán que sois demasiado jóvenes o mayores? ¿Que con la **crisis** es un mal momento? ¿Que aún no tenéis formalizada vuestra situación como pareja? ¿Que ya era hora...? Y preparaos para aceptar sus comentarios, cualesquiera que estos sean. Procurad pensar que es solo su opinión, y que... quizá difiera de la vuestra.

Si podéis, sería bueno decírselo a todos a la vez en una reunión familiar, así evitaréis suspicacias y herir sensibilidades. Estad preparados para toda una batería de preguntas de lo más indiscretas, consejos, bromas... Puede haber familiares para quienes sea una gran noticia pero quizás a otros les dé igual. Respetad su postura, es solo su opinión.

- Algunas parejas prefieren no decir nada antes del segundo trimestre, cuando la probabilidad de aborto involuntario se reduce mucho. Las mujeres, por norma, son más susceptibles que los hombres a los comentarios, críticas, etc., así que deja que sea ella la que decida el momento de hacerlo público.

- Parece mentira, pero los hombres no pueden contenerse a la hora de hacer bromas sobre la supuesta paternidad, si es que es tuyo, claro.

Calorías sanas

La nutrición es clave para tener un embarazo saludable. La futura mamá está en un momento con necesidades nutricionales especiales que tendrá que satisfacer a través de una dieta equilibrada.

Con una buena dieta el organismo recibirá la cantidad de energía que necesita para que el bebé se desarrolle con total normalidad. La clave reside en tomar alimentos ricos en nutrientes y vitaminas, ácido fólico, hierro, calcio y yodo y evitar el exceso de grasas. La dieta ha de ser variada a base de verduras, frutas, cereales, lácteos y legumbres, sin perder de vista el aporte diario de proteínas de carne y pescado.

Hay algunos nutrientes que tu chica ha de considerar imprescindibles. En su dieta no puede faltar: el calcio, para un adecuado desarrollo óseo; el hierro, para la formación de los glóbulos rojos; el ácido fólico, para prevenir defectos congénitos, y el yodo y el omega-3, para un mejor desarrollo cerebral y **cognitivo**. Todos estos nutrientes pueden conseguirse a través de una adecuada alimentación, pero muchas veces son necesarios suplementos nutricionales para cubrir posibles carencias.

- En el mercado hay un montón de complementos nutricionales para ayudaros, pero, ya sabéis, consultad, con el médico. La línea entre un complemento nutricional y doparse es demasiado fina como para decidirlo tras ver un anuncio o leer el prospecto de las píldoras.

- Lo sentimos pero pasteles, refrescos, chucherías, bollería y café no se encuentran entre los alimentos más saludables. Se pueden consumir, pero muy de vez en cuando.

También es fundamental que se mantenga hidratada; ello facilitará la digestión y la eliminación de toxinas y aliviará las principales molestias del embarazo (dolor de cabeza, estreñimiento y retención de líquidos). Se recomienda aumentar entre 0,5 y un litro la ingesta de líquidos diarios en el embarazo.

Absolutamente prohibido el consumo de alcohol, pues el organismo de cada mujer es diferente y no se sabe la cantidad que puede llegar a afectar al desarrollo del bebé. Otra cosa que tendrá que tener en cuenta es qué alimentos puede tomar con total seguridad y con cuáles ha de tener un especial cuidado. Ya hemos visto en las primeras semanas el problema de la toxoplasmosis y sus primas, así que ya sabéis: cuidado con las comidas.

Además, no solo son importantes los alimentos que tome, sino también la forma de cocinarlos, pues dependiendo de ello se aprovecharán mejor o peor sus nutrientes. Lo óptimo es que se cocinen a la plancha o al vapor, que es como mejor conservan los alimentos sus propiedades nutricionales. Si se prefieren hervidos, hay que echarlos a la cazuela cuando el agua esté ya caliente, así conservarán más vitaminas. Cuando se cocine al horno, hay que evitar añadir mucho aceite o grasas. Y, en general, se aconseja evitar añadir mucha sal.

Glosario

Invasiva. Las pruebas pueden ser invasivas o no, es decir, invadir o no el ámbito del feto; si no es invasiva, no causa molestia alguna al feto.

Pauta. Regla que va a regir una acción.

Crisis. Es el conjunto de condiciones económicas negativas que hacen más difícil tener unos ingresos decentes de una manera estable. También puede referirse a la crisis de los 40 para algunos.

Cognitivo. Relativo al conocimiento.

Semana **13**

Tu bebé en Facebook

Ahora que vamos a tener un bebé, ya puedo poner que tenemos una relación

Problemas genéticos

Las pruebas genéticas son un tipo específico de pruebas de laboratorio que se realizan en la sangre y otros tejidos (líquido amniótico, vellosidad coriónica...) para ayudar en la detección o diagnóstico de un padecimiento.

Las pruebas genéticas suponen estudiar el **ADN** para revelar cambios o alteraciones en el bebé que puedan ser causa de síndromes o desórdenes hereditarios. Su finalidad es detectar y diagnosticar cualquier problema que pueda afectar a la salud de la madre o del bebé para identificar y tratar los problemas a tiempo.

Estos exámenes no son obligatorios. Se recomiendan únicamente a algunas mujeres, en especial las que tienen embarazos de alto riesgo. Si tu chica o tú tenéis antecedentes familiares de problemas genéticos, es recomendable que consultéis a un especialista para que os ayude a analizar estos antecedentes y a determinar el riesgo para el bebé.

Como ya hemos visto, es importante tener en cuenta que cada uno de estos exámenes de detección determina únicamente el riesgo, pero no diagnostica una enfermedad. Para ello se necesitarían pruebas complementarias.

- Los problemas genéticos son la causa de más o menos el 60% de los abortos. Dicho así, parece que tenemos los cromosomas fatal, pero no es el caso. La causa suele ser fallos en los procesos de división celular de los gametos. Es parecido pero no es lo mismo.

- Cuanto más invasiva es la técnica de la prueba, más fiables son los resultados pero más riesgo corre el bebé. Es una decisión complicada, así que si tenéis que tomarla, dejaos aconsejar.

La feliz noticia en sociedad

Parece una tontería o lo último que debe ocupar tu cabeza, pero si no piensas bien cómo dar la noticia, puede que la tontería se convierta en un problema. Aquí tienes un esquema sobre cómo, quién y cuándo. Seguro que después de adaptarlo a tu caso te servirá.

NOTICIA

Día 0
Padres y hermanos
Por teléfono

Día 1
Familia cercana
Por teléfono

Amigos íntimos
Por teléfono

Día 2
Resto de familia
Por teléfono

Día 7
Amiguetes
Por mail o a través de RRSS

Compañeros de trabajo
Por mail o a través de RRSS

FOTOGRAFÍA

Día 0
Padres y hermanos
Por mensaje

Día 1
Amigos íntimos
Por mensaje

Día 7
Amiguetes
A través de RRSS

Una vez llegue la fotografía del bebé a tu madre o a tu suegra, el resto de la familia la tendrá antes de que los llames. Es imposible evitarlo.

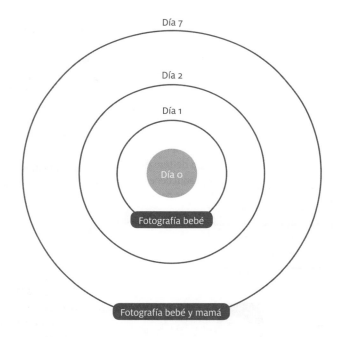

Tu chica estará hecha polvo, así que no difundas una fotografía de ella recién parida. Espera al menos una semana y difunde solo alguna en la que ella se vea bien.

El mundo del baño

Un día, otro día, otro más... Y aquí no hay manera. El estreñimiento es otra carta de este juego de naipes. Es similar a las náuseas en que, en mayor o menor medida, no hay embarazada que se libre. También se parece en que el resultado es el mismo, un humor mañanero apreciable desde varios metros.

En este caso la solución es conocida por todos nosotros aunque no siempre la pongamos en marcha. Mucha fibra y líquidos, líquidos a montones. Todo ello aderezado con algo de ejercicio para estimular el movimiento intestinal. Es importante que no se esfuerce demasiado o correrá el peligro de sufrir **hemorroides**, y estas no desaparecerán, normalmente, con el embarazo. Si el problema persiste, preguntadle al médico para que recomiende a tu chica algún tipo de laxante. Ojo, no lo decidáis por vuestra cuenta. Algunos enemas o laxantes pueden provocar el parto.

A estas alturas ya estarás acostumbrado a hablar con tu pareja de todo tipo de temas, por muy escabrosos que sean. Pues aquí tienes otro. El día en que le preguntes mientras desayunáis si ha podido ir al baño, te darás cuenta de que te estás tomando el embarazo muy en serio.

- Aunque la publicidad nos inunda con productos milagrosos para este tema, una buena alimentación es la mejor solución. Desayunar un kiwi todas las mañanas funciona muy bien. Ya te habías comprometido a hacerle el desayuno todos los días, así que pelar un kiwi no implica un cambio sustancial.

- Es importante que no incremente la ingesta de fibra si no la acompaña de suficiente agua. No es difícil imaginar cómo empeoraría el tema.

El Facebook

Todos los que tenemos un perfil en una red social lo sabemos... Sin apenas darnos cuenta, su uso cotidiano nos ha hecho ser cada vez más tolerantes con los límites de nuestra intimidad. Si al principio no colgábamos fotos, y solo aceptábamos como amigos a «los amigos de verdad», con el tiempo vamos dilatando estos parámetros y aumentando la información que dejamos que los demás conozcan.

Parece que esto obedece al fenómeno de transformación que las redes están ejerciendo sobre los conceptos de íntimo y privado. Las redes dan rienda suelta a nuestras más secretas pulsiones exhibicionistas y **voyeuristas**...

Por todo esto... ¡ojo con las fotos que vas a colgar de tu chica y su embarazo! O del bebé recién nacido, o de la mamá recién parida con sus ojeras... Piensa en las decenas de fotos tomadas y colgadas en tiempo real en el paritorio durante ese momento de euforia en el que te apetece que el mundo entero sepa que ha nacido tu bebé... Quedarán por los siglos de los siglos navegando por el ciberespacio y tú tendrás muy poco o ningún control sobre el uso que se pueda hacer de ellas. Lo que se aplica a Facebook vale también para Twitter, etc.

- Cualquier fotografía que pongamos en las redes sociales deja un rastro; esto es así y de nada sirve luchar contra ello. Es importante que pienses un poco antes de subir la última foto de tu chica. Sería una pena que la encarcelaran por cortarte las... ¿Quién se haría cargo del bebé?

- Que ella comparta información del embarazo no significa que tú la puedas compartir; es su cuerpo y son sus amigos: recuérdalo o muere.

Leer todo sobre el embarazo

Quizá siempre os haya gustado leer. Aparte de lo maravilloso que es saber por el mero hecho de saber, la verdad es que poseer información... da tranquilidad. Pero ahora vais a descubrir lo que es tener una verdadera obsesión, porque, por mucho que leáis sobre el embarazo, nada os va a parecer suficiente.

Una de las actividades a las que dedicaréis bastante más tiempo del imaginado será, muy probablemente, a hacer un auténtico «máster en embarazo». Buscaréis y leeréis libros, artículos, revistas..., todo lo que caiga en vuestras manos y más.

Hoy en día tenéis a vuestro alcance tanta información sobre el embarazo que lo difícil no será conseguirla, sino filtrarla. Aparte de internet, que es un universo en contenidos, no siempre con el rigor y veracidad que deberían, hay revistas especializadas, libros detallados, libros genéricos, algunos ilustrados, otros para padres asustados, etc. En vuestra mano está hacer la criba que creáis que satisface vuestra curiosidad; en cualquier caso, nunca perdáis de vista al médico, que en última instancia debería informaros al detalle y con rigor sobre todo aquello que queráis conocer.

- Los teléfonos y tabletas están en nuestras vidas, cada día más. Hay una gran oferta de contenidos en estos formatos, y aunque te gusten los libros por un millón de razones, no dejes de echarles un vistazo a las aplicaciones. Algunas pueden resultar muy interesantes ya que permiten personalizar los contenidos según el calendario y experimentar con imágenes en 3D y vídeos. Márcate un tanto y compra una de estas aplicaciones, seguro que a tu chica le encantará leer sobre el bebé todas las mañanas.

Querer saber todo lo posible sobre un acontecimiento tan importante en vuestras vidas es totalmente comprensible, da bastante seguridad tener al menos una mínima idea de lo que está pasando; pero cuidado con obsesionaros si ello os va a conducir a la búsqueda de la perfección.

Es normal que lo queráis saber todo y que queráis todo lo mejor para vuestro futuro hijo, pero tener todo bajo control es imposible. No para todas las preguntas hay una única respuesta o una solución inmediata. En esto del embarazo, como todo en la vida, cada persona y cada embarazo son un mundo.

Pretender tener todo bajo control solo os va a generar **frustración**. Tendréis que tomar decisiones, y asumir que la decisión tomada es la buena. Si no, no podréis disfrutar del proceso. Siempre faltará por saber algo: nada os parecerá suficiente.

Glosario

ADN. Es un ácido que contiene instrucciones genéticas usadas para el desarrollo del organismo y es el responsable de la transmisión hereditaria.

Hemorroides. Inflamaciones de las venas en el recto y en el ano. También llamadas «almorranas», dependiendo de en qué grado de desarrollo se encuentren pueden ser muy molestas.

Voyeuristas. En este caso nos referimos a las personas que obtienen placer al mirar o conocer detalles íntimos de otras personas. Vamos, un mirón o cotilla o las dos cosas juntas.

Frustración. Es la respuesta emocional que puede ir acompañada de ira o decepción cuando no conseguimos aquello que nos hemos marcado como deseo u objetivo.

Semana **14**

Engordando por el camino

No estás gorda, estás embarazada

Amniocentesis

La amniocentesis es una prueba prenatal utilizada para diagnosticar ciertos defectos congénitos o de nacimiento y trastornos genéticos. Consiste en el análisis de una muestra del líquido amniótico de la embarazada. Su objetivo es diagnosticar o descartar defectos congénitos, cromosómicos, genéticos o del tubo neural, como síndrome de Down, fibrosis quística, espina bífida, distrofia muscular, enfermedad de Tay-Sachs y anemia falciforme, entre otras.

Durante la prueba, el médico realiza un **ultrasonido** para ubicar al bebé y el punto más recomendable para extraer la muestra de líquido amniótico. El área donde se hará la inserción (el abdomen) es esterilizada y se puede optar por un leve anestésico local. Durante la prueba, la embarazada debe acostarse sobre su espalda y quedarse muy quieta. Monitoreando la posición del bebé por medio del ultrasonido, el médico inserta una larga aguja en el abdomen que atraviesa el útero y, el saco amniótico. La muestra (de unas cuatro cucharaditas) se recolecta por medio de una jeringuilla y se envía al laboratorio para su análisis. Después los resultados pueden tardar unas dos o tres semanas.

Por lo general, la prueba se realiza entre las semanas 15 y 20 del embarazo y sus resultados son bastante precisos (99 % de veracidad). Algunas de las razones para hacerse una amniocentesis son: tener una edad superior a los 35 años, haber tenido otro hijo o embarazo con un defecto congénito, haber obtenido unos resultados anormales en la prueba de detección o tener un historial médico familiar de un problema genético.

La pregunta que probablemente os haréis es cuáles son los riesgos que conlleva hacerse la amniocentesis. Aunque algunas mujeres dicen que no es doloroso, en general conlleva una

Ideas para mimarla

No ha llegado ni a la mitad del embarazo pero ya puedes detectar en tu chica síntomas de cansancio, dolores, etc. Nunca está de más mimarla, pero sería ideal que te decidieras a hacerlo en este momento. Si no se te ocurre nada, aquí tienes algunas ideas.

SORPRÉNDELA

Un día de tiendas
¿Llevas algunas semanas intentando escaparte de ello? Saca fuerzas y propónselo, seguro que estará encantada con tu actitud.

Masajes
Qué tal un masaje rico, algo que sea nuevo. Quizá con chocolate, vino o con piedritas calientes.

Un pequeño curso
¿Siempre le ha gustado la fotografía? ¿Tenéis por casa una cámara? Qué te parece un curso de iniciación a la fotografía. Seguro que luego usará todo lo aprendido para hacerle miles de fotos al bebé.

Una cita
Llevala al musical del que habla hace meses; si lo acompañas con una cena en un lugar para dejarse ver, será perfecto.

Camisetas
Ahora que es supersencillo hacer tus propias camisetas, ¿le gustaría una en la que ya tenga escrito el nombre de mamá?

Experiencias nuevas
Qué tal un pequeño viaje en globo o un picnic. Algo de lo que no te crea capaz puede ser una bonita sorpresa.

Una fiesta
Seguro que lo has pensado para alguno de sus cumpleaños pero al final nunca lo has hecho. Móntale una fiesta sorpresa.

serie de molestias en la madre parecidas a las menstruales, a veces acompañadas de manchas de sangre o goteo de líquido amniótico. Las complicaciones graves de la amniocentesis son poco comunes, son el riesgo de aborto espontáneo: 1 en cada 300 a 500 casos. También hay un leve peligro de infección uterina, pero ambos riesgos se reducen si el médico tiene experiencia y los cuidados necesarios.

En los casos en que los resultados de la amniocentesis muestran que el bebé no tiene defectos congénitos, no habrá problema, y adelante con el embarazo. Sin embargo, si la prueba muestra que el bebé tiene un defecto congénito, deberéis consultar cuáles son vuestras opciones. Es posible que pueda tratarse al bebé con medicamentos o incluso con cirugía antes del nacimiento. O quizá sea aconsejable dejarlo para después del nacimiento.

La decisión de someterse a una amniocentesis es totalmente personal, aunque lo mejor es una decisión conjunta de los dos. No es una prueba de rutina. Se realiza únicamente si se corre mayor riesgo de que el bebé sufra algún defecto o malformación y si la madre está dispuesta a someterse a ella.

- Aunque la ilusión por el bebé es enorme y hace ya tiempo que está presente en vuestras vidas, si hay riesgo de malformación o enfermedad grave del feto debéis afrontarlo fríamente y no dejaros llevar por un sentimentalismo mal entendido.

- Aunque la cifra pueda confundir, el riesgo de aborto de 1 entre 300 es grande. Por eso es importante tener muy claro que la prueba es necesaria antes de llevarla a cabo.

Se siente gorda

Con el paso de los meses tu chica irá notando muchos cambios en su cuerpo, y, seguramente, cuando vea que su ropa ya no le queda igual, ya no le cabe... no podrá evitar sentirse gorda.

Que una mujer se sienta gorda en el embarazo es parte del mismo estado. Podría decirse casi que es otro más de los síntomas de él: el 99,99% de las mujeres en algún momento del embarazo se han sentido gordas o incómodas con su cuerpo.

Si a ella también le está pasando, no te preocupes y ayúdale a entender que no es que esté gorda sino que todo su cuerpo está cambiando: se está **ensanchando** por todas partes porque su organismo se está transformando para dar acogida, alimento y transporte al bebé que se está gestando en su vientre.

Como no es la única que pasa por esa situación, quizá le venga bien compartirlo con otras amigas embarazadas, o ya madres y que hayan recuperado su figura inicial... y sobre todo tener mucha paciencia y disfrutarlo. Realmente esa transformación de su cuerpo es algo increíble, sorprendente, casi magia... Además, volverá a la normalidad al dar a luz.

- Ella no quiere tener otro cuerpo que el que tenía antes del embarazo, no quiere que se le ensanchen las caderas, que se le quede algo de panza, que su cuerpo reserve grasa en la cintura ni mucho menos que le aumente el pecho si esto significa que desciende un poco. Quiere pensar que cuando dé a luz, todo volverá a su sitio, absolutamente todo. Así que asiente cuando te comunique los planes que tiene pensados para recuperar su figura en cuanto salga del paritorio. Es tu mejor opción.

Las primeras fotografías

A tu chica le harán, como mínimo, tres ecografías durante el embarazo.

La primera suele realizarse entre las semanas 10 a 14. Con esta ecografía se confirma que el embarazo sigue adelante, que hay latido cardíaco y si hay uno o más embriones. Además, y esto es muy importante, sirve para determinar la edad gestacional del feto. Igualmente, esta primera prueba confirma que el bebé está bien implantado y que no se trata de un embarazo ectópico (fuera del útero).

La segunda ecografía se realiza en torno a la semana 20. Es fundamental porque sirve para controlar el desarrollo del bebé y descartar que padezca anomalías. Si el bebé está bien colocado, se podrá desvelar si es niño o niña.

Tercera ecografía. La última de las ecografías rutinarias se realiza en el tercer trimestre, habitualmente entre las semanas 28 a 37. El médico vuelve a tomar medidas para comprobar cómo ha crecido el feto. Se comprueba si hay suficiente líquido amniótico y la **postura del bebé**: si está en posición de cabeza, de nalgas, sentado... Con estos datos los médicos pueden prever cómo será el parto.

- Normalmente saldremos de la consulta con una imagen de la ecografía en papel. Como la vais a mirar durante horas, aquí os dejamos una chuleta. EDD (FPP): fecha probable del parto; BPD (DBP): diámetro biparietal; FL (LF): longitud femoral; ATD (DAT): diámetro abdominal transversal; ALD (DAL): diámetro abdominal anteroposterior (lateral); EFBW (PF): peso del feto; FAC (PCF): perímetro cefálico; TD (DT): diámetro torácico; AP (PA): perímetro abdominal; AC (CA): circunferencia abdominal.

Ropa premamá

Comprar ropa premamá hace mucha ilusión a la mayoría de las embarazadas, y, sobre todo, es que no les queda más remedio... Estar embarazada no significa renunciar a vestir bien, aunque en esta etapa de su vida tendrá que imponerse la comodidad frente a la estética...

Lo más importante es su comodidad, y habrá de poner especial atención al calzado y a la ropa interior. En los primeros meses de embarazo todavía podrá usar su ropa, quizá con un pequeño arreglo desplazando un corchete, un botón o cambiando la goma de un chándal. Luego ya no quedará más remedio que pasar algunas tardes de tienda en tienda. Recuerda que esto es un embarazo, y puede que no le siente bien que le sugieras que sea una amiga la que le acompañe. El bebé es de los dos y blablablá, blablablá, blablablá...

Tu chica estará guapísima con sus nuevos vestidos, esa nueva talla de sujetador y esas bragafajas enormes. Si tiene un buen día, puede ser el momento de bromear con ella sobre la lona del circo que es su vestido, las bragafajas de la abuela, la perfección de las esferas... Le vendrá bien reírse de sí misma.

Glosario

Ultrasonido. Es una onda acústica de alta frecuencia (los humanos no podemos oírla). Esta onda rebota en nuestras estructuras corporales permitiendo a una computadora convertir este eco en imágenes. Este método no presenta radiación ionizante, por lo cual es inocuo para nuestro organismo.

Ensanchando. El bebé tiene que salir por el canal del parto, y para hacerlo el cuerpo de la futura mamá necesita ensancharse.

Postura del bebé. El bebé tiene que adoptar la posición adecuada para salir. Si el bebé, por ejemplo, está de pie, el parto es mucho más complicado.

Semana **15**

Pum, pum, pum, pum, pum...

Cómo late el corazón del bebé

➕ Los latidos del bebé

Uno de los momentos más emocionantes de vuestro embarazo probablemente sea cuando escuchéis por primera vez los latidos del corazón de vuestro bebé. Su pequeño corazón comienza a latir 25 días después de la concepción, en torno a la semana 6 de embarazo. En estos momentos el ritmo cardíaco del bebé es de alrededor de 150 por minuto, casi el doble del latido cardíaco de un adulto.

Alrededor de las semanas 10 a 12 de embarazo, por medio del ultrasonido Doppler podréis escuchar los latidos del corazón de vuestro bebé. Este ultrasonido también permite ver el flujo de la sangre en los vasos sanguíneos del bebé, incluyendo el corazón y el cordón umbilical.

Si sucediera que el primer ultrasonido no ve el latido del bebé, no debéis angustiaros. Se recomienda que se repita un tiempo más tarde, ya que siempre hay un margen de error en la fecha de concepción. Realmente no se sabe en qué momento se quedó embarazada. También la posibilidad de **auscultar** el corazón fetal aumenta o disminuye en ciertas situaciones. Cuando hay mucho líquido amniótico o la madre es obesa, se dificulta su audición. Cuestión de física.

- El principio del embarazo es tan irreal, se parece tanto a un sueño, que cualquier noticia del bebé nos deja como tontos. Oír su latido a toda velocidad nos acerca un poco más a él mientras el sueño se va convirtiendo en realidad.

- Si tu chica tuviera un sobrepeso grande, puede que las ecografías no permitieran ver y oír al bebé de forma tan nítida como en embarazadas sin sobrepeso. Es normal.

El predictor chino del sexo

No tiene ninguna base científica, pero dicen que acierta en un 90% de los casos. Al menos hay que decir que si lo han hecho por pura observación, son muchos los millones de chinos como para que lo hayan hecho mal. Quién sabe, al menos tiene el 50% de probabilidades.

Mes de la concepción	Edad de la mujer (años lunares)																					
	20	21	22	23	24	25	26	27	28	29	30	31	32	33	34	35	36	37	38	39	40	41
Enero	M	H	M	H	H	M	H	M	H	M	H	H	H	M	H	H	M	H	M	H	M	H
Febrero	H	M	H	H	M	H	M	H	M	H	M	M	M	H	M	H	H	M	H	M	H	M
Marzo	M	M	H	M	H	H	H	M	H	M	M	M	H	H	H	H	M	H	H	H	M	H
Abril	H	M	M	H	H	M	M	H	M	M	M	M	M	H	M	H	M	H	H	H	H	M
Mayo	H	M	H	H	M	M	M	M	M	H	M	M	M	M	M	M	M	H	M	H	M	H
junio	H	M	M	M	H	H	H	M	M	H	M	M	M	M	M	H	H	M	M	H	M	H
Julio	H	M	M	H	H	M	M	H	H	H	H	M	M	M	M	M	M	M	H	M	H	H
Agosto	H	M	H	M	M	H	H	H	H	H	M	M	M	H	M	H	M	H	M	H	M	H
Septiembre	H	M	M	H	M	H	M	H	H	H	M	M	M	M	M	M	H	M	H	M	H	M
Octubre	M	M	M	H	M	H	M	H	H	M	M	M	M	M	M	M	H	H	M	H	M	H
Noviembre	H	M	M	H	H	M	H	M	M	M	M	H	M	M	M	H	H	M	H	M	H	M
Diciembre	H	M	M	M	M	H	M	H	M	M	H	H	H	H	H	H	H	H	M	M	M	H

¿Estará bien el bebé?

Tu chica sabe que ahora, más que nunca, es muy importante cuidarse. Una de las inquietudes que constantemente la asaltarán será preguntarse si lo estará haciendo bien y qué tal estará el bebé.

Durante su embarazo, todo el mundo: familia, amigos, médicos, compañeros de trabajo, vecinos…, probablemente tú…, le daréis consejos sobre lo que debería y no debería hacer. Pero la salud durante su embarazo dependerá fundamentalmente de sí misma, así que es importante que conozca bien las muchas formas de cuidar de su salud y de la de su bebé.

La manera más fiable y segura de saber que todo marcha bien ahí dentro es llevar al día los exámenes prenatales. También seguir las indicaciones del médico sobre alimentación, hábitos, etc. Ella poco más puede hacer; aun así, a veces los fetos tienen patologías de distintos tipos; muchas se puede corregir y curar, pero otras son incurables o de tal gravedad que finalizan con la pérdida del bebé e incluso con la **interrupción legal** del embarazo.

No puedes evitar que se preocupe, pero intenta remarcar que si algo sale mal, no es su culpa.

- Con la cantidad de análisis y ecografías que se realizan en un embarazo normal, cualquier problema del feto suele ser detectado y tratado en la medida de lo posible. A veces son necesarias otras pruebas más específicas para conocer exactamente el problema del feto. A menos que tu chica tenga un historial clínico o familiar muy complicado, las pruebas habituales deberían ser suficientes para saber que el bebé está bien. Si no os han dicho lo contrario, lo normal es que esté estupendamente.

¿Chico o chica?

Hace no tanto tiempo el sexo del bebé era una incógnita hasta el día del parto, pero hoy es posible conocerlo fácilmente gracias a los avances médicos; aun así, saber si va a ser niña o niño es una de las expectativas que más ilusión despierta durante el embarazo.

Generalmente los padres quieren conocer el sexo de su futuro hijo antes de nacer, y aunque a muchos les da igual que sea niña o niño, saberlo siempre viene bien… ¡Podréis descartar el 50% de los nombres que teníais pensados!

A partir de la semana 20, los genitales del feto están totalmente formados y ya pueden distinguirse con total claridad en una ecografía. Si es un niño, se pueden apreciar la bolsa escrotal y el pene. El sexo femenino es más difícl de ver, y se determina por la ausencia de órganos masculinos, pero algunas veces se pueden distinguir los labios mayores.

A veces no es tan fácil ver el sexo con la ecografía porque el feto se encuentra en una posición que impide al ecógrafo apreciar la zona genital con nitidez. Por eso, cuando hay dudas. el médico prefiere no decir nada para no inducir a error.

- En la gran mayoría de los casos el feto se muestra lo suficiente para que el médico pueda confirmar cuál es el sexo del bebé en un 90%. En otros casos no está tan claro, y no estaremos seguros hasta que lo tengamos en nuestros brazos. Es importante que tengamos decididos dos nombres, uno por sexo. Si al final Pilar tiene pelotitas, se nos hará raro no nombrarle cuando pase sus primeras horas con nosotros. Aunque también podemos esperar a verle la cara para decidir su nombre.

El riesgo de conducir

Cuando la barriga empieza a ser prominente, muchas de las actividades más habituales se volverán más arduas y mucho más incómodas, y es probable que esto lleve a tu chica a plantearse si llevarlas a cabo será apropiado o no en su estado.

Una de ellas será ponerse al volante. Conducir con un tripón interponiéndose entre ella y el volante puede resultar, cuando menos, molesto e incomodísimo, pero en principio el embarazo no tiene por qué limitar la conducción, siempre y cuando se tomen las medidas de seguridad oportunas, fundamentalmente en lo referente al uso correcto del cinturón y del airbag.

Para una conducción segura se deben tener en cuenta tanto los cambios corporales que sufre la mujer durante la gestación como los que pueden afectar a su forma de conducir. Es posible que tenga náuseas, mareos, más sueño... Estos síntomas se suelen intensificar en los viajes largos; también hay que contemplar la posible falta de concentración debido a los cambios hormonales... En definitiva, cada embarazo es distinto y cada mujer lo vive de un modo diferente, y aunque no se contraindica conducir, deben extremarse las precauciones.

Por lo general se recomienda que a partir de la semana 30, la futura mamá viaje como acompañante.

- Ya sabes, te toca hacer de taxista durante unas semanas, semanas prorrogables a varios años. Ponte pesado con el tema del cinturón, no conduzcas hasta que lo tenga colocado. Cualquiera puede tener un descuido, tanto tú como otro conductor, y las consecuencias de un accidente sin cinturón podrían ser imperdonables.

El Código de Circulación establece la posibilidad de exención en el uso del cinturón «en mujeres encintas cuando dispongan de un certificado médico en el que conste su situación o estado de embarazo y la fecha aproximada de su finalización», pero es recomendable que toda embarazada que circule en automóvil haga uso de este sistema de retención.

El cinturón es recomendable porque salva vidas maternas y fetales y evita complicaciones graves derivadas de una colisión. En caso de frenazo, tu chica puede estar tranquila porque el feto está protegido por el líquido amniótico y los músculos del útero. Pero ¿cómo ponerse el cinturón? La forma correcta es entre los senos y lo más bajo posible sobre las caderas. No se debe dejar que la sección abdominal del cinturón se suba hacia el vientre de la mujer porque podría dañar al bebé.

Otro punto importante relativo a la seguridad es el airbag y sus presuntos efectos perjudiciales sobre el feto. Pese a lo que pueda decirse, se desaconseja desconectar el airbag, ya sea el del conductor o el del copiloto, en el caso de mujeres embarazadas. Los datos indican que el uso de estos dispositivos protege a la mujer y a su bebé en caso de accidente. Ante una colisión, es importante saber que una embarazada que conduce y tiene un accidente de tráfico no corre ni más ni menos riesgo que una mujer no gestante, pero sí que se pueden producir complicaciones directamente asociadas a su estado.

Glosario

Auscultar. El médico puede valorar su corazón mediante los sonidos que emite.

Interrupción legal. A veces la interrupción del embarazo es la mejor solución. Para ello se recogen en la ley varios supuestos.

Semana **16**

Los pequeños detalles

Quiero una niña

Seguro que una vez que respondisteis positivamente a la primera pregunta, ¿estamos embarazados?, inmediatamente os vino a la cabeza la segunda gran incógnita: ¿será niño o niña? Aunque el misterio del sexo no se desvela hasta la semana 20, la realidad es que ya está determinado desde el momento de la concepción, aunque su diferenciación se produce entre siete y nueve semanas después.

A priori, la naturaleza siempre tiende a crear embriones femeninos. Durante las primeras semanas de gestación los órganos sexuales del embrión no están aún diferenciados. Cuando un espermatozoide con cromosoma X fecunda el óvulo, el proceso diferenciador lleva «por defecto» al desarrollo de un cerebro y órganos genitales femeninos (útero, ovarios, etc.). Sin embargo, cuando el espermatozoide lleva el cromosoma Y, este da una orden específica para que ese proceso natural se altere y comience la formación de los testículos. Estos, a su vez, activan una serie de hormonas que inhiben definitivamente el desarrollo de los genitales y el cerebro femeninos y hacen que el embrión se convierta en varón.

En España está permitido elegir el sexo del embrión mediante manipulación genética solamente con fines terapéuticos, es decir, para evitar que los padres trasmitan una enfermedad letal o grave para el feto, como por ejemplo la **hemofilia** o la distrofia muscular de Duchenne (entre otras muchas).

Existen dos técnicas: la selección de espermatozoides y el diagnóstico genético preimplantacional. Ambas técnicas son manipulaciones de estructuras muy sensibles, y por el peligro que pueden entrañar para el futuro bebé deben realizarse únicamente en casos de riesgo genético grave.

El nombre del susodicho

Puede que tengáis clarísimo cómo se llamará si es niño, si es niña, si son dos, tres o catorce. Pero puede también que andéis algo perdidos. Aquí puedes ver los nombres más comunes, los más originales, los clásicos... ¿Quién sabe? Quizás os guste alguno.

Nombres de niños

Comunes
1. Matías 2. Sebastián 3. Mateo
4. Alejandro 5. Lucas 6. Samuel
7. Daniel 8. Nicolás 9. Yago
10. Marcos

Nombres cortos
1. Leo 2. Abel 3. Jon 4. Yann
5. Aleix 6. Iker 7. Iván 8. Igor
9. Ander 10. Oriol

Nombres largos
1. Maximiliano 2. Benjamín
3. Leonardo 4. Máximo
5. Eduardo 6. Antonio
7. Mauricio 8. Gonzalo
9. Salvador 10. Vicente

Clásicos
1. Francisco 2. Joaquín 3. Octavio
4. Esteban 5. Javier 6. Rodrigo
7. Emilio 8. Fernando 9. Alonso
10. Ángel

En otras lenguas
1. Biel 2. Ares 3. Dídac 4. Kay
5. Odell 6. Guido 7. Ennio 8. Caleb
9. Flavio 10. Bittor

Originales
1. Enzo 2. Gino 3. Thiago 4. Gael
5. Ian 6. Bruno 7. Theo 8. Deo
9. Ariel 10. Ethan

Nombres de niñas

Comunes
1. Sofía 2. Lucía 3. Carmen 4. Paula
5. María 6. Laura 7. Camila
8. Daniela 9. Jimena
10. Gabriela

Nombres cortos
1. Mía 2. Lía 3. Ada 4. Noa
5. Zoe 6. Ema 7. Ava 8. Gala
9. Abril 10. Ona

Nombres largos
1. Montserrat 2. Valentina
3. Mariana 4. Penélope
5. Andreina 6. Leticia
7. Carlota 8. Alejandra
9. Margarita 10. Cayetana

Clásicos
1. Francisca 2. Manuela 3. Antonia
4. Isidora 5. Ana 6. Blanca
7. Adriana 8. Candela 9. Ángela
10. Julieta

En otras lenguas
1. Regina 2. Renata 3. Olivia
4. Fabiana 5. Ariadna 6. Adara
7. Agnès 8. Aintza 9. Neus 10. Egia

Originales
1. Bluma 2. Ilse 3. Izar 4. Pau
5. Elma 6. Anik 7. Maud
8. Edna 9. Tricia 10. Tia

Antojos

Los antojos son una de las peculiaridades más curiosas del embarazo. Son un apetito especial que tiene estas cinco características: son urgentes, no se satisfacen con un sustitutivo, se presentan a cualquier hora del día o de la noche, durante cualquier período de la gestación y producen una satisfacción muy especial.

Abarcan toda clase de comida: desde fresas con chocolate hasta mejillones enlatados. Muchas embarazadas se encaprichan con un sabor que antes les resultaba desagradable... Si esto le está pasando a tu chica... solo piensa que es absolutamente normal: tres de cada cuatro embarazadas tienen antojos.

Pero ¿en qué consisten estos deseos impostergables por determinados sabores que tienen las futuras mamás? ¿Son verdaderas necesidades o solamente capricho? Parece que existen dos componentes fundamentales en los antojos; por un lado, un componente hormonal y los cambios propios del metabolismo en el embarazo, que hacen variar las cantidades de minerales y sales e incitan al organismo a reclamarlos, y, por otro, un componente emocional que genera en la mujer embarazada una mayor necesidad de afecto y cariño.

- No es cierto que los antojos no satisfechos se conviertan en manchas en la piel. Esta es una creencia tan absurda como conocer el sexo del bebé según la forma de la panza.

- Hazle caso y satisface sus antojos: es tu obligación moral y seguramente solo busca de forma inconsciente sentirte cerca y dispuesto para cualquier cosa que necesite. Si además de «ponerte a prueba» puede comerse un helado de chocolate, pues perfecto.

Cómo se va a llamar

A menudo elegir el nombre del bebé es una de las decisiones más difíciles para el futuro papá y la mamá, fundamentalmente porque las opciones son infinitas. El nombre de vuestro hijo es una decisión muy importante y debe ser bien meditada, ya que lo va a llevar toda su vida e incluso le conferirá cierta personalidad.

Es conveniente no elegir nombres extravagantes o complicados de pronunciar. Tampoco nombres cuyo significado no conozcamos. Un nombre extraño puede acarrearle burlas a tu hijo más adelante. Podrá cambiarlo cuando cumpla 18 años, pero es mucho tiempo viviendo con el nombre del hotel donde te concibieron tus padres, un nombre que te hace la vida imposible. Se puede observar si el nombre elegido suena bien con los apellidos que tendrá el bebé para evitar cacofonías o **asociaciones grotescas**.

Sabed que no podéis ponerle más de un nombre compuesto y no puede llamarse exactamente igual (nombre y apellidos) que su hermano, salvo que este haya fallecido. Se pueden registrar diminutivos o nombres coloquiales, como Lola o Nacho, o nombres extranjeros.

- Si la combinación del nombre con el apellido crea una mala asociación, siempre podemos cambiar de orden los apellidos, aunque recuerda que deberás hacerlo igual si tienes más hijos juntos.

- Los nombres están vivos, se ponen de moda, se hacen viejos, etc. Si no lo tenéis claro, siempre podéis «googlearlo»: hay cientos de páginas dedicadas a la difícil tarea de buscar un nombre para el bebé.

Mímala mucho

Si le preguntasen a tu chica qué es lo más necesita durante el embarazo, seguro que contestaría: cariño. Durante los nueve meses del embarazo tu papel como futuro papá es crucial. Aunque tengas sentimientos mezclados entre la incertidumbre, el miedo y la alegría, debes procurar estar a la altura de las circunstancias. Todo lo que conlleva el embarazo es cosa de los dos, y te toca afrontarlo con ella.

Todos los cambios a los que se va a ir enfrentando conforme avance su embarazo se le harán mucho más llevaderos si tú sabes estar a su lado en esto. ¿Pero cómo? Pues fundamentalmente recurriendo a tu interior zen para transmitirle la mayor paz, seguridad y tranquilidad posibles: teniendo paciencia, hablando con ella y escuchándola lo que haga falta, asistiendo conjuntamente a los médicos y clases de preparación al parto, sabiendo todo lo posible sobre el embarazo, ayudándola con su dieta y ejercicio, intentando con humor disminuir su nivel de estrés...

Tu chica y futura madre de tu hijo necesita ahora que estés al cien por cien a su lado, cuidando de ellos... es el momento perfecto para estrechar vuestros lazos.

> • Todo el mundo te dice que estés tranquilo, pero nadie tiene en cuenta toda la presión que estás padeciendo; además, los altibajos emocionales de tu chica tampoco te tienen muy centrado. A veces, no puedes ser tan «guay» como deberías, pero lo puedes compensar con un poco de imaginación. No hace falta invitarla a cenar en un lugar carísimo ni el viaje perfecto para que esté relajada. Quizás sirva con ir a buscarla al trabajo y volver paseando mientras os tomáis un sencillo helado: ella te necesita a ti.

Cruzando el charco

Los padres de tu chica viven a 15.000 kilómetros de distancia, lo que, unido a que son muy «majos», los convierten en los suegros perfectos. Evidentemente, ante un suceso en la vida de su hija de tal magnitud como el que tú has provocado, es lógico que se incrementen los viajes en una y otra dirección. ¿Puede viajar ella sin problemas?

Si el embarazo va bien y la salud de la embarazada es buena, no hay ningún problema en realizar vuelos largos. Como todos los pasajeros, debería levantarse y andar de vez en cuando para evitar la trombosis venosa profunda, **TVP** o síndrome de la clase turista.

Esto es así hasta la semana 32 más o menos; cuanto más cerca esté el parto, más riesgo corre, y no de tener problemas médicos. El mayor riesgo es que se ponga de parto en mitad del océano. Esta situación sería comparable a dar a luz en una aldea en medio del campo. Eso, siempre que tengamos suerte y viaje un médico en el pasaje.

Glosario

Hemofilia. Es una enfermedad genética que impide la buena coagulación de la sangre. Se puede decir, aunque no es exacto del todo, que es una enfermedad que sufren los varones pero que trasmiten las mujeres.

Asociaciones grotescas. Rosa Seca, Domingo Fiesta y otros muchos similares no son de recibo. Nadie quiere que se mofen de su hijo, pero estos nombres existen de verdad, por lo que en algún momento esos padres no debieron pensar en la combinación entre nombre y apellido.

TVP. También llamado «síndrome de la clase turista». Cuando viajamos en avión, el espacio es limitado durante muchas horas, y si no ejercitamos las piernas aumenta el riesgo de sufrir un tromboembolismo pulmonar.

✚

Semana **17**

Logística de la buena

Un bebé en miniatura

El embarazo va viento en popa…, la panza de la futura mamá ya es evidente. Últimamente puede que tenga algunos dolores musculares en la zona del **pubis** debido a que su útero va creciendo y los ligamentos que lo unen a la pared pélvica se van estirando.

En esta semana el aspecto de vuestro bebé es idéntico al de un recién nacido pero en tamaño miniatura. Durante la semana 17 el feto mide aproximadamente entre 11 y 12 cm y pesa unos 100 gramos. Sus movimientos ya son mucho más notorios: se lleva los dedos a la boca, mueve los bracitos y las piernecitas y hace el gesto de tragar líquido amniótico para entrenar su sistema digestivo. Sigue teniendo la cabeza grande, aunque ya más proporcionada con su cuerpo, y todavía mantiene los ojitos cerrados. Tiene unas uñas finas y transparentes y el pelo de la cabeza y de las cejas va volviéndose más grueso. En esta etapa empieza a acumular grasa bajo su piel que le ayuda a mantener el calor y le proporciona energía. Su corazón llega a bombear 24 litros al día.

Puede escuchar sonidos fuera del cuerpo de la madre y su pecho sube y baja mientras practica la respiración.

Tiene más equipamiento que el coche

- Ahora el bebé tiene el tamaño de un muñeco de juguete. Es increíble que ya tenga todos sus órganos más o menos formados…

- El feto pasa la mayoría del tiempo dormido en la tripa, pero cuando se despierta sus movimientos son cada vez más evidentes y rápidos. Todavía no tiene el tamaño suficiente para que tu chica lo sienta, pero no le queda demasiado para poder dar patadas a su madre como si de Maradona se tratara.

La lista de los regalos

No es que queráis, pero tampoco lo podéis evitar. Vuestros seres más queridos estarán muy contentos con la noticia del embarazo y van a pensar en regalaros cosas útiles para el bebé. Esto es como en las bodas: si haces una lista, no te encontrarás con dos sacaleches y ninguna trona.

PROPUESTA

☐ Cuna

☐ Colchón de cuna

☐ Ropa de cuna

☐ Cambiador

☐ Cambiador de viaje

☐ Cochecito

☐ Saco de cochecito

☐ Silla de coche

☐ Parque o corral

☐ Hamaca

☐ Manta de juegos

☐ Trona

☐ Silla de paseo

☐ Mono de invierno

☐ Biberones

☐ Calentador de biberones

☐ Esterilizador

☐ Intercomunicador

☐ Bañera

☐ Termómetro digital

☐ Bolsa del bebé

Orgullo de embarazo

Tu chica va superando poco a poco todas las molestias que la han tenido revuelta este tiempo. Tiene menos dolores, y los que tiene ya los conoce y no le asustan, y de la azotea va mucho mejor: más estable y más lógica.

Ya se le nota un poco su panza y está empezando a organizar todos los temas logísticos, lo que la tranquiliza. Hasta este momento todo parecía una tensa espera y de repente todo empieza a avanzar; está contenta por ello aunque los miedos sobre el parto también se acercan.

Después de estos meses tiene claro que vas a estar ahí para todo; ya te ha visto la cara cuando le hacen ecografías y tú no puedes cerrar la boca del asombro. Las decisiones grandes ya las habéis tomado, así que ahora es cuestión de ir poco a poco ejecutándolas.

Ya está asumiendo que va a ser mamá de verdad. Empieza quizás la mejor época del embarazo, pues todavía se encuentra bien físicamente, tiene menos molestias y una alegría interior que la hace estar resplandeciente. Después de tanto tiempo preocupado, tú deberías hacer lo mismo, estar orgulloso.

- Quizás este sea el mejor momento del embarazo para hacer una escapadita a la playa o a una casa rural. Salvo el humo y el vino, todo volverá a ser igual que hace cuatro meses. Os falta lo más duro, así que está bien que os mantengáis muy juntos ante esta situación.

- Podéis aprovechar esta época de calma para decorar la habitación del bebé. Si lo hacéis vosotros mismos juntos, seguro que disfrutáis. Evidentemente te toca a ti.

Se acumulan los regalos

A medida que vaya avanzando el embarazo y se vayan enterando familiares y amigos, os empezarán a llover los regalos. Los habrá de todo tipo, desde los más útiles y prácticos (probablemente de alguien que ya ha sido mamá...) hasta los modernos o de dudosa utilidad...

Probablemente os regalen mucha ropa, que desgraciadamente, y a no ser que sea varias tallas mayor, se le quedará pequeña al bebé antes de que llegue a ponérsela toda. También quizá muchas mantitas, jueguecitos móviles, zapatitos de bebé... Si tenéis confianza con la familia y amigos, quizá sea una buena idea darles alguna pista sobre qué cosas os vendrían realmente bien, ya que se van a gastar un dinero en tener con vosotros ese detalle.

En cuanto nazca el bebé, habrá un montón de cosas que necesitaréis casi obligatoriamente. Os va a tocar comprarlas a no ser que las heredéis u os las dejen en préstamo (una idea estupenda, pues son objetos que se quedan nuevos); si alguna os cae como regalo, os vendrá a las mil maravillas: cochecito, cuna, silla de coche, bañera, trona, cambiador, mantasaco para silla de paseo, **intercomunicador**, tacatá, mochila portabebés, sacaleches...

- Puede que sea una buena idea que varias personas se unan para regalaros algo de mayor coste. Es preferible que tus hermanos se unan para regalaros la trona que cada uno de ellos os regale ropa que el bebé no llegará ni a repetir debido a su rápido crecimiento.

- Reserva los objetos más caros, como el coche y la cuna, para los más cercanos. Vuestros padres no se van a conformar con regalaros un tacatá: aunque es un poco absurdo, esto es así.

¿Qué necesitará el bebé?

Ahora que se va acercando la llegada del bebé, tal vez os preguntaréis qué debéis comprar antes de que nazca. A medida que se acerca la fecha del parto, aparece esta nueva complicación para los futuros papás: conseguir los objetos necesarios para el cuidado del bebé.

La variedad de artículos disponible en el mercado es tan amplia que lo normal es que os lleguéis a sentir abrumados ante las compras. Antes de dejaros el sueldo, mejor valorad qué será realmente necesario y qué no. Qué necesitaréis comprar y qué otras cosas podréis conseguir por otro lado... Además, muchas cosas no son imprescindibles para los primeros meses de vida, no hace falta tenerlo todo ya.

Algunas de las cosas en que tenéis que ir pensando serán:

- Preparar una canastilla para el hospital con pañales, toallitas húmedas, una manta de algodón, un gorrito, calcetines, guantes, baberos de algodón, bodies de algodón...
- Como infraestructura básica en la casa: una cuna, un cambiador (o un lugar estable y cómodo donde hacerlo), una buena cantidad de pañales, sábanas y muchos cambios de ropa: camisetas, bodies, pijamitas,

calcetines... El bebé manchará mucho y no os dará tiempo a andar lavando.
- Para el baño: termómetro para el agua, bañerita o cubo, jabón neutro, champú que no irrite los ojos, una esponjita natural muy suave, peine y crema hipoalergénica o aceite especial para bebés.
- Para la alimentación: un sacaleches, baberos, biberones, un equipo esterilizador, un calientabiberones, tetinas...
- Para transportarlo: un cochecito o una mochila de bebé y una sillita o cuna para el coche.

Normalmente a los futuros papás les apetece comprar muchas cositas durante el embarazo cuando pasan por delante de los escaparates de las tiendas especializadas o de las estanterías de los centros comerciales. Algunas son realmente imprescindibles, la mayoría no; y no olvidéis los regalos que familiares y amigos os harán con la llegada del bebé, así que intentad resistir esos impulsos de consumo, pues luego puede dar mucha rabia ver cosas que ni siquiera se llegaron a estrenar.

Además de los préstamos de amigos, hay también webs de venta de objetos de bebés de segunda mano. Es una opción muy interesante, sobre todo en objetos que se usan durante un período muy concreto de tiempo.

- Siempre que puedas, te recomendamos aceptar los ofrecimientos de préstamos de otras parejas. Lo hacen de corazón, lo entenderás cuando estés en su misma situación. Esta sociedad ya es demasiado consumista como para incrementar esta espiral porque sí. Los objetos se quedan nuevos, así que es una pena tirarlos, y además ahorraréis bastante dinero.

- Tener y mantener a un bebé durante sus primeros años no es tan caro como parece.

Glosario

Pubis. Es una parte de la región anatómica de la pelvis al final del abdomen. En la mujer también se lo conoce como monte de Venus.

Intercomunicador. Es un conjunto de aparatos electrónicos. Consta de un emisor y un receptor, que nos permiten oír al bebé a distancia. Las madres parecen saber cuándo lloran los bebés sin necesidad de oírlos, pero los hombres no cuentan con ese extraño sentido. Te será muy útil.

Semana **18**

A la cama

✚

Una máquina del sexo

Con el bebé en camino, la vida sexual de la pareja puede cambiar, pero, si todo va bien, podréis tener sexo hasta el final del embarazo; es más, puede que el deseo y las ganas de tu chica te dejen sorprendido... Existen muchos mitos que hay que desterrar y partir de esta premisa: hacer el amor no daña al bebé.

En los primeros meses del embarazo, muchas mujeres lo evitan, simplemente porque la novedad les abruma. A esto se suman los típicos problemas del principio del embarazo, como el cansancio y las náuseas. A otras mujeres se les hace raro concebir embarazo y sexo juntos. Muchas mujeres tienen miedo de que el sexo pueda perjudicar al embarazo, sobre todo al comienzo, cuando se encuentra todavía en un estado vulnerable. Sin embargo, realmente ocurre todo lo contrario: al principio de la gestación los órganos de la pelvis están mejor irrigados, lo que provocará mayor deseo. Incluso muchas mujeres llegan más fácilmente al orgasmo. Además, a las parejas a las que les ha costado lograr el embarazo el sexo les resulta ahora más relajado. Por eso, la delicada primera etapa del embarazo puede convertirse en una de las de mayor placer.

A veces los futuros papás sienten que ahora hay un tercero en la cama. Otras tienen la impresión de haber quedado relegados a un segundo plano. Y muy a menudo tienen miedo de hacer daño al bebé. Menos mal que tu chica te tiene a ti.

Como dato médico podemos decir que aunque en el orgasmo femenino, durante un breve tiempo, la placenta proporciona menos sangre al bebé, en ningún modo puede dañar al pequeño, que está protegido por el líquido amniótico y por la pared muscular del útero. Tampoco hay que tener miedo de que pueda

La psicología de los colores

¿Sabes por qué es más caro asegurar un coche rojo que uno blanco? No, no es por el precio de la pintura: es por el color, y es que cada color tiene connotaciones psicológicas propias. Apliquemos un poco de sentido común para pintar la habitación del bebé.

Blanco
Limpieza, amor

Rojo
Optimismo, velocidad

Amarillo
Curiosidad, pensamiento

Azul
Fortaleza, pasividad

Violeta
Afectividad, intuición

Rosa
Sensibilidad, sacrificio

Beis
Estrés, justicia

Naranja
Sensibilidad, alegría

Verde
Testarudez, ego

Morado
Tristeza, soledad

dañarle la penetración: el tapón mucoso cierra la entrada al cuello del útero e impide que el semen pueda llegar hasta allí.

Evidentemente, estamos hablando en general de un embarazo sin complicaciones. En casos de embarazos de riesgo, sí habrá que ser más cautelosos, e incluso quizá resulte necesario renunciar al sexo. Aunque, más que al sexo, quizá deberemos renunciar a la penetración en sí. La cercanía corporal es especialmente importante durante esta etapa, lo que no significa que sea necesario siempre mantener relaciones sexuales típicas. Las caricias, los masajes y los roces también son importantes.

Si tanto a ella como a ti os gusta, aunque sea de forma ocasional, un sexo menos típico, deberéis tener cuidado, y no estaría de más que antes de nada se lo consultaseis al médico, que os sabrá indicar si es aconsejable.

En definitiva, el sexo proporciona muchísimos beneficios a la pareja, ya que ayuda a mantener la complicidad y evadirse por un momento de la incertidumbre del futuro y, además, relaja y genera buen humor. Podemos decir que es beneficioso en el embarazo.

El color de la habitación

La habitación de los niños normalmente es el espacio más colorido y alegre de una casa. Sin embargo, según algunos expertos en **cromoterapia**, no todos los colores son apropiados para todas las situaciones y edades. El cuarto del bebé debe ser un espacio pensado para favorecer su desarrollo, y los colores que elijamos influirán en su estado de ánimo, su sueño y hasta su temperamento.

Parece demostrado que los colores ejercen una influencia y tienen efectos, al menos en parte, en nuestro comportamiento. Los colores pueden influir negativa o positivamente en nuestro estado de ánimo a través de las sensaciones que nos producen. Cada color posee su propia luz, energía, vibración y efecto. Antes de elegir el color de la habitación de vuestro bebé, igual vale la pena que conozcáis algo más sobre los supuestos efectos de cada uno de los colores.

También podemos optar por colores naturales y madera, pues transmiten tranquilidad y quietud, por lo que pueden ser adecuados para niños muy excitables. Otra posibilidad es pintar las paredes lisas y poner una cenefa de papel con algún motivo decorativo.

- No te asustes si tu chica tiene alguna temporada especialmente activa sexualmente hablando durante el embarazo: es normal y se debe a nuestras queridas amigas las hormonas. Limítate a disfrutar antes de que se le pase, porque se le pasará.

- Que el sexo y el embarazo sean compatibles no significa que todo sea igual que antes. Seguro que en el embarazo modificáis el intervalo, la postura, la cadencia, etc.

- Cada vez somos más conscientes de que es bueno alentar la imaginación de los niños. Si tenemos pensado que nuestro bebé ocupe la misma habitación durante dos o tres años, una buena solución, sin ser cara, son los vinilos. El vinilo decorativo es una superficie plástica impresa que se pega a la pared. Hay un montón de vinilos prediseñados con formas de nubes, árboles, monstruos, etc., de todo. Además, al quitarse sin deteriorar la pared, podemos renovar la habitación de vez en cuando.

Arreglar la habitación

Probablemente, para todos los papás que están esperando su primer bebé uno de los acontecimientos más especiales sea preparar su habitación. Es un trabajo entretenido que requiere bastante tiempo y mucha paciencia, pero, a la vez, es un espacio tan importante que tendréis muchas ganas de ponerle vuestras mejores energías y empeño.

Si la casa tiene más de un dormitorio disponible, empezaremos por elegir el más apropiado valorando dimensiones, ruidos, corrientes de aire, luz, ventilación... Aunque durante varios meses dormirá probablemente con vosotros en el cuarto, lo suyo es preparar una habitación cambiante que pueda crecer con el bebé. Si es posible, se deben crear zonas de sueño, juegos... En general, cuantos menos elementos decorativos tenga, mejor, pues será más fácil de limpiar y recoger.

Lo primero que tendremos que decidir será el color de la habitación, si vamos a utilizar pintura, papel pintado, algún vinilo... Una vez tengamos una idea del estilo que queremos para las paredes, el siguiente paso será elegir los muebles: una cuna, un cambiador o cómoda con suficiente anchura, altura y fondo, un armario y una cajonera para la ropita y quizá no esté de más contar con una buena butaca o sillón para sentaros vosotros, dado que seguramente toque quedaros más de una noche a su lado en vela. Los juguetes y otro tipo de accesorios de ese tipo ya irán llegando, y no hace falta planificarlo todo ahora; quizá algún móvil que cuelgue del techo o una luz graduada especial.

La habitación tiene que estar pensada para el niño en sus distintas etapas; muchas veces tendemos a preparar la habitación para el recién nacido, que es precisamente el que no la necesita, y nos olvidamos del bebé con un año. Pensad que el bebé pasa de no moverse si le dejamos encima de nuestra cama a bajarse de ella tipo **kamikaze** y salir corriendo por el pasillo antes de que reaccionemos.

Tampoco podéis perder de vista la seguridad. Como hemos visto, antes de que nos demos cuenta tendremos que tener muy en mente los peligros de su cuarto: enchufes, ventanas, ángulos de los muebles, etc.

Si el bebé no tiene habitación propia por ahora, y hay que hacerle un hueco en nuestro cuarto, se puede usar la imaginación y crearle un espacio propio en ese rinconcito suyo.

- Con el tiempo los bebés se convierten en seres muy veloces. Siempre que vemos a un niño con un golpe y preguntamos cómo sucedió, nos encontramos con la misma respuesta: fue todo en un segundo.

- Las redes para las ventanas son muy recomendables, pues no solo evitamos el riesgo de que el bebé se abalance sobre la ventana, también impedimos que tire media casa por ella. Tanto por los objetos en sí como por si dan a alguien.

Glosario

Cromoterapia. Los colores ejercen una influencia emocional que nos puede llevar incluso a mejorar o sanar de enfermedades. Vamos, una terapia alternativa sin demasiada base médica, pero para elegir el color de la habitación...

Kamikaze. Así es como se conocía a las unidades suicidas del ejército japonés durante la Segunda Guerra Mundial. No es extraño ver a bebés con una actitud similar: no tienen miedo a nada.

Semana **19**

Su primer coche

Más que pruebas

Durante el embarazo el médico recomendará a la futura mamá una batería de pruebas.

Primer trimestre: grupo sanguíneo y Rh; test de Coombs indirecto; hemograma (leucocitos, plaquetas, hematocrito/hemoglobina); niveles de glucosuria, proteinuria, bacteriuria, leucocituria y/o nitritos + hematuria; serología; pruebas de rubéola, sífilis, toxoplasmosis, hepatitis B y C y VIH. También el cribado o prueba combinada del primer trimestre (triple *screening*) y la prueba de translucencia nucal (TN).

Segundo trimestre: hemograma (leucocitos, plaquetas, hematocrito/hemoglobina); cribado de **diabetes gestacional**; test de O'Sullivan; test *screening*; análisis que revisen sus niveles de glucosuria, proteinuria, bacteriuria, leucocituria y/o nitritos + hematuria; y a la prueba sérica del segundo trimestre.

Tercer trimestre: hemograma (leucocitos, plaquetas, hematocrito/hemoglobina); estreptococo grupo B; glucosuria, proteinuria, bacteriuria, leucocituria y/o nitritos + hematuria. Alrededor de la semana 20 de gestación se efectúa la llamada «ecografía morfológica». Es la más importante del embarazo.

• No os preocupéis, parece más de lo que es. Además de un hemograma por trimestre (un pinchacito de nada), el resto de pruebas no suelen ser complicadas ni dolorosas. Las ecografías son inocuas tanto para la mamá como para el bebé, y seguro que disfrutáis viendo cómo se mueve y crece vuestro hijo. La única prueba que puede ser más pesada es la del azúcar o test de O'Sullivan, ya que requiere la ingesta de líquidos cargados de glucosa y no siempre se toleran bien.

Elegir su cochecito no es nada fácil

¿Qué cochecito escoger?

Es lógico que sin haber sido usuario de un cochecito no tengas ni una remota idea de cuál escoger. Aquí te dejamos un pequeño esquema para que con un poco de lógica puedas comprar el cochecito ideal para vosotros dentro del presupuesto.

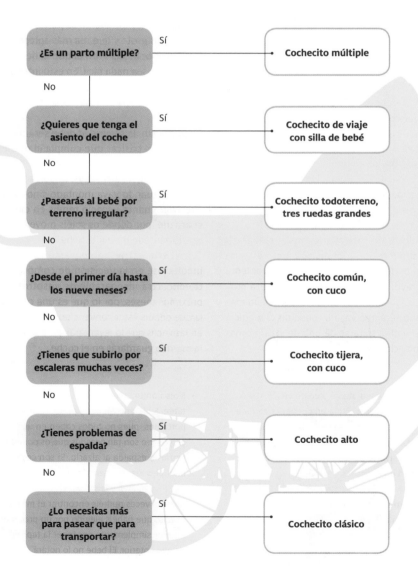

¿Es un parto múltiple? — Sí → Cochecito múltiple

No

¿Quieres que tenga el asiento del coche — Sí → Cochecito de viaje con silla de bebé

No

¿Pasearás al bebé por terreno irregular? — Sí → Cochecito todoterreno, tres ruedas grandes

No

¿Desde el primer día hasta los nueve meses? — Sí → Cochecito común, con cuco

No

¿Tienes que subirlo por escaleras muchas veces? — Sí → Cochecito tijera, con cuco

No

¿Tienes problemas de espalda? — Sí → Cochecito alto

No

¿Lo necesitas más para pasear que para transportar? — Sí → Cochecito clásico

Los dolores de cabeza

Es posible que tu chica sufra de dolores de cabeza durante el embarazo, en particular en el primer y tercer trimestres. Es muy frecuente que suceda y, en general, no son signo de ningún problema grave. Se desconoce su causa, aunque se cree que durante el primer trimestre pueden obedecer a los cambios de niveles hormonales y al aumento generalizado del volumen y circulación de sangre.

Algunas mujeres embarazadas sufren dolores de cabeza por la tensión, caracterizados por un dolor con presión o un dolor sordo a ambos lados de la cabeza o en la nuca. En muchos casos están relacionados con estos otros factores propios del embarazo: estrés, **fatiga**, abstinencia de la cafeína, falta de sueño, deshidratación, hambre o bajo nivel de azúcar en la sangre...

Los dolores de cabeza durante el embarazo normalmente son inofensivos, pero en ocasiones podrían ser señal de algún problema más grave. Si tuviese dolores de cabeza muy intensos y llamativamente frecuentes, lo más indicado será que vaya a consultar al médico, ya que podría tratarse de uno de los síntomas de la preeclampsia u otra afección.

- Mantenerse hidratada, algo de ejercicio y comer varias veces al día en pequeñas cantidades parece la solución perfecta para cualquier molestia propia del embarazo. Suena raro, pero en la mayoría de los casos esta combinación aliviará las molestias.

- El cuerpo de tu chica cambia velozmente y ella empieza a estar incómoda, por lo que muchas veces sus posturas no son las más recomendables. Haz que se siente bien.

El cochecito del bebé

El momento de elegir el cochecito del bebé es importante, no solo porque el niño pasará muchas horas en él sino porque puede que le vayáis a dar mucho trote...

Es normal que paséis mucho tiempo mirando modelos antes de decidiros por el cochecito que más os gusta y que sea más apropiado para vuestro bebé. Es normal que la decisión os cueste y no sea nada fácil. En esto internet nos puede ahorrar muchas horas de recorrer tiendas de cochecito en cochecito.

Por supuesto, la seguridad debe ser una de las condiciones básicas que cumpla el cochecito que elijáis, pero también tendréis que tener en cuenta la confortabilidad y comodidad, no solo del bebé cuando vaya montado sino también vuestras: cuánto espacio tenéis en casa para guardarlo, por dónde os soléis mover o dónde tenéis pensado pasear al bebé.

Involúcrate en la decisión de compra. El cochecito será inseparable de vosotros en los próximos meses, por lo que es una compra de la que debéis estar convencidos los dos. Piensa en las veces que lo levantarás para salvar **escalones** o lo guardarás en el coche.

- Si es bonito, genial, pero es lo menos importante. Sus dimensiones y peso sí son muy importantes, pues no todos caben en un simple ascensor o son tan pesados que os podéis destrozar la espalda al alzarlo. Si son cochecitos múltiples, su peso será más importante aún.

- Muchas veces podréis encontrar el mismo cochecito que habéis elegido por un precio muy inferior simplemente por tener la tapicería de un año anterior. El bebé no lo notará.

La silla del coche

Sabemos que a la hora de adquirir una silla de coche para el bebé, son muchas las dudas que les surgen a los papás. Este desconcierto es absolutamente comprensible teniendo en cuenta que cada día salen al mercado nuevas y mejores sillas. Si vais a llevar a vuestro bebé en el coche, es imprescindible que tengáis un buen asiento de seguridad adaptado a sus necesidades: está comprobado que su uso reduce considerablemente el riesgo de sufrir graves heridas en caso de accidente.

Antes de decantaros por una u otra, es bueno que tengáis en cuenta estas consideraciones:

Contra o hacia la marcha

Idealmente los niños menores de tres años deberían viajar en sentido contrario a la marcha. Cuando un niño viaja contra la marcha, va mucho más seguro y su cuerpo queda más protegido contra lesiones cervicales, de hombros y en el tronco.

El asiento

En el asiento del copiloto o en uno de los asientos de detrás. Si va contra la marcha, quizá resulte más cómodo sentarle en el asiento del copiloto, para poder verle y atender a sus

demandas. Si le sentáis detrás, hacedlo en el asiento en el que pueda estar controlado.

Sillas con protección lateral

Últimamente están saliendo al mercado sillas de auto con doble o triple sistema de protección lateral. Estas capas laterales aportan una mayor seguridad en caso de colisión lateral, pero las sillas son más anchas de lo normal y en algunos coches no caben bien.

Reclinado de la silla

La reclinación de la silla es importante en niños de entre 1-3 años para que viajen cómodos.

Garantía

Comprobad que la silla lleve en la parte trasera una etiqueta naranja con su categoría, grupo y número de identificación de la homologación. Debe estar homologada y cumplir con la estricta reglamentación europea.

Además de las características en sí de la silla, debéis tener en cuenta en qué coche la vais a colocar. Empecemos por lo obvio: la silla debe caber en el coche; pero también es importante tener en cuenta si el coche cuenta con airbag y de qué tipo... Este tema es todo un mundo.

• Puede que tengáis un único coche familiar, pero también puede que cada uno tengáis vuestro propio coche. En este caso cobrará más importancia el peso de la silla y que sea fácil de anclar al asiento, ya que será habitual tener que cambiarla de un coche a otro. En estos casos es recomendable comprar dos sillas aunque sean más baratas. El bebé llorando, el cochecito en la acera, tú sudando mientras cambias la silla... Es mejor evitar estas situaciones de estrés con antelación.

Glosario

Diabetes gestacional. Es una diabetes inducida por el embarazo que suele desaparecer al parir aunque hay que vigilarla pues en ocasiones no desaparece.

Fatiga. Si el sueño no es reparador, es normal que se produzca una gran fatiga en la embarazada.

Escalones. El urbanismo actual no está pensado para personas con movilidad reducida, y tú, con un cochecito de bebé, te acercas mucho a esa definición. Hasta que salgas a la calle conduciendo el cochecito no te darás cuenta de la cantidad de escalones y todo tipo de obstáculos que pueblan nuestras ciudades y pueblos. Hazte con una mochila para el bebé.

Semana **20**

La ecografía de las ecografías

La ecografía más importante

La ecografía de la semana 20 es un estudio exhaustivo de todos los órganos que hasta ese momento se han formado en el feto, que son prácticamente la mayoría. En la prueba, de casi media hora de duración, se analizan todas las partes del cuerpo de vuestro bebé y se comprueba si todo está bien... o no.

La segunda ecografía se considera la más importante porque en este momento todas las estructuras anatómicas del feto se pueden ver y analizar. Se miden cabeza, abdomen, fémur, húmero y se pueden ver y analizar algunas estructuras intracraneales y faciales, el corazón, el diafragma, el estómago, los riñones, la vejiga, la columna vertebral y las cuatro extremidades. Con una ecografía particular (Doppler), también se podrá evaluar cómo circula la sangre en los vasos uterinos de la madre y en algunos vasos del feto, para tener más noticias sobre el regular crecimiento y desarrollo del niño. Junto a esta evaluación, habrá una ecografía de la posición de la **placenta**, una evaluación de la cantidad de líquido amniótico y un control de los vasos sanguíneos en el cordón umbilical.

Esta ecografía no te la puedes perder, así que reorganiza tu agenda si es necesario.

¡Esta sombra gris es superguapa!

- Gracias a la generalización de esta ecografía tan completa, es posible diagnosticar malformaciones estructurales o morfológicas. Además, es posible detectar lesiones incompatibles con la vida.

- Puede que el sexo del bebé ya lo sepáis, pero si todavía no se ha dejado ver claramente, con este estudio tan pormenorizado es casi seguro que el médico pueda ver si es un niño o una niña.

Hierbas

Si a tu chica le atraen los remedios naturales y las infusiones contra todo tipo de molestias, no está de suerte. Casi todas las hierbas contienen principios activos que pueden perjudicarla. Aquí tienes más información.

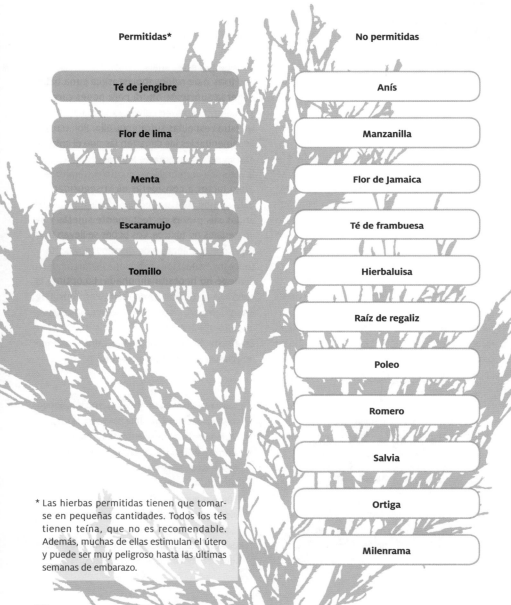

Permitidas*	No permitidas
Té de jengibre	Anís
Flor de lima	Manzanilla
Menta	Flor de Jamaica
Escaramujo	Té de frambuesa
Tomillo	Hierbaluisa
	Raíz de regaliz
	Poleo
	Romero
	Salvia
	Ortiga
	Milenrama

* Las hierbas permitidas tienen que tomarse en pequeñas cantidades. Todos los tés tienen teína, que no es recomendable. Además, muchas de ellas estimulan el útero y puede ser muy peligroso hasta las últimas semanas de embarazo.

A medio camino

¡¡Enhorabuena, futuro papá!! ¡Ya estáis en la mitad del embarazo!

La semana 20 de embarazo constituye el ecuador de la gestación, dado que se considera que un embarazo dura unas 40 semanas contadas a partir del primer día de la última menstruación. Así pues, en la segunda mitad del embarazo que falta, se producirán cambios indispensables en el feto que garantizarán que el bebé que nazca tenga las condiciones óptimas para la vida.

Durante esta mitad, el peso del bebé aumentará más de diez veces y su longitud será el doble de la que tiene en esta semana. Tiene cejas delgadas, pelo en la cabeza y sus extremidades muy desarrolladas. La forma y las proporciones generales del bebé son de aspecto completamente humano. Los movimientos son abundantes y fundamentales para que no haya deformidades articulares ni corporales.

Vuestro bebé ya puede oír y os puede escuchar; sí, a ti también, aunque el líquido amniótico que lo rodea distorsiona los sonidos. Puede reconocer una música, el latido de su corazón o la respiración de su madre.

- El bebé ya se mueve bastante, si bien todos sus movimientos son reflejos y, por ejemplo, no siente el dolor. Todavía está madurando, pero ya le queda menos de lo que lleva; antes de que os deis cuenta, lo tendréis en vuestros brazos durmiendo.

- Su cerebro ya cuenta con 30.000 millones de neuronas y está poco a poco desarrollando especialmente áreas sensoriales destinadas a los sentidos: gusto, olfato, oído, vista y tacto.

La cuna del bebé

La cuna del bebé es mucho más que una simple cama; en ella vuestro hijo conciliará el sueño y descansará su cuerpo y su flexible mente en proceso de aprendizaje. La cuna de un bebé no es un elemento que debáis comprar a la ligera, sino una importante pieza que tendréis que adquirir con plena conciencia.

Debe ser confortable, cálida, libre de elementos fríos o de ruidos molestos. La cuna ha de tener la suficiente altura para poder cargar y recostar al niño varias veces por día sin que vuestras espaldas sufran por ello. Por eso son recomendables las cunas en las que el colchón pueda estar a diferentes alturas.

Otro factor a considerar es la seguridad. La cuna ha de estar regulada y garantizada con todas sus piezas perfectamente sujetas y de materiales no tóxicos. Los bebés se llevan todo a la boca, y realizan movimientos torpes.

El bebé no necesita almohada. Lo óptimo es colocar un colchón rígido, aunque confortable. Los **cobertores** han de ser suaves, y no es necesario abrigar de más al bebé: con una mantita basta. Si es necesario más calor, habrá que regular la temperatura ambiental.

- La cuna debe ser espaciosa; piensa que el bebé pasará en su cuna muchas horas al día, de modo que tiene que permitir sus movimientos conforme vaya creciendo. Se recomienda que el ancho de la cuna tenga la medida de la envergadura del bebé; como normalmente la cuna se compra antes del nacimiento, adquiere, de las que te convenzan, la más ancha.

- Si la cuna es una herencia familiar, comprueba que sea segura y esté bien montada.

El herbolario

Siempre es peligroso generalizar, y más cuando hablamos de salud. El embarazo es quizás uno de los períodos más peliagudos en lo que a terapias y tratamientos médicos se refiere (incluidos los naturales). En este sentido, la información es clave, y conviene asegurarse consultando al médico antes de recibir terapia alguna.

Aunque existe el mito generalizado de que los productos de herbolario son **inocuos** porque son naturales, hay que tomarlos con mucha precaución y conocimiento durante el embarazo, pues algunos pueden ser nocivos para la madre y el feto. De hecho, en general están desaconsejados. Algunas hierbas interfieren con algunos fármacos y pueden llegar a tener efectos inesperados sobre el organismo. Piensa que muchos medicamentos extraen sus principios activos de hierbas y plantas.

Con respecto a la utilización de plantas medicinales, tampoco se recomienda su consumo con excepción del jengibre, que se usa para aliviar las náuseas y vómitos; de hecho, podría llegar a ser muy peligroso tomarlas, pues algunas de ellas tienen claras propiedades abortivas, como la ruda y la fárfara...

- Cualquier terapia que sea inocua para el feto y relaje a tu chica la damos por buena. Si ella se relaja o se ve mejor la piel, qué más nos da que tenga piedras calientes sobre sus pies mientras recibe cromoterapia a la vez que escucha Mozart.

- Los dependientes de los herbolarios suelen estar bien informados sobre las propiedades de los productos, pero durante el embarazo es mejor seguir solo el consejo del médico.

Sin embargo, hay algunos nutrientes de venta en herbolario que son de gran importancia para el desarrollo normal del feto, como el **ácido fólico**, hierro, yodo, cinc y algunas vitaminas, entre otros.

En cuanto a las terapias, en general, existen algunas especialmente recomendadas para paliar las molestias que suelen ir unidas al embarazo. La reflexología, por ejemplo, obtiene mejoras sustanciales del sistema circulatorio a través de la aplicación de presión sobre ciertos puntos concretos de las plantas de los pies. La homeopatía también se revela tremendamente útil a la hora de remediar molestias como las náuseas y los trastornos digestivos, aunque las dosis ingeridas deben ser siempre moderadas. Y los trastornos de orden digestivo, así como los dolores de cabeza y los problemas de índole emocional, pueden ser solucionados o, al menos, paliados en parte por la acupuntura.

Por último, la aplicación de masajes acompañados de aromaterapia también constituye una buena ayuda para la salud de la embarazada.

Glosario

Placenta. Es un órgano efímero (temporal) que sirve de conexión entre el bebé y su madre. Por él se nutre y respira.

Cobertores. Son una especie de cojines acolchados que se adaptan a la cuna para evitar que el bebé se choque con los barrotes de esta si se mueve mucho.

Inocuo. Que no hace daño, cosa que no podemos generalizar al hablar de los productos de herbolario.

Ácido fólico. También llamada vitamina B9. La carencia de ácido fólico puede provocar problemas en la placenta y también en el feto, tanto cerebrales como en la columna vertebral (espina bífida). Por eso se recomienda su ingesta antes del embarazo y durante las primeras etapas de este.

Semana **21**

La leche que le van a dar

La lactancia

El tipo de lactancia que tendrá vuestro bebé es una decisión muy personal que deberá tomar la futura mamá después de sopesarla bien. Aunque los beneficios de la lactancia materna parecen demostrados, no todas las mujeres quieren o pueden hacerlo. La mujer es la que decide sobre su propio cuerpo, y tú estás ahí para apoyarla. Es una decisión muy personal en la que la madre agradecerá sentirse apoyada en la opción que elija.

La leche materna es, sin duda, el mejor alimento para el recién nacido, pero muchas veces, por razones de muy diversa naturaleza (laborales, psicológicas, médicas...), no se inicia la lactancia natural, o se suspende al poco tiempo. Afortunadamente, hoy en día el amamantamiento es una elección, y alimentar al bebé con leche artificial es una alternativa perfectamente válida. No obstante, antes de elegir cualquiera de las dos opciones, es bueno tener algo de información:

Lactancia materna

- La leche tiene exactamente la cantidad adecuada de nutrientes que el bebé necesita.
- El bebé la puede digerir fácilmente.
- Contiene numerosos **anticuerpos** que protegen de infecciones al bebé.
- Supone una forma de crear un estrecho vínculo entre madre e hijo a través del contacto corporal, los latidos, el olor, la voz...
- El alimento está siempre disponible.
- No hay que preocuparse de la temperatura y composición de la leche.
- El bebé necesita alimentarse más a menudo: resulta agotador y requiere mucho tiempo.
- No supone ningún coste.
- Es necesario que la mamá goce de buena salud. Tiene que seguir llevando unos hábitos saludables (dieta equilibrada y fuera consumo de cafeína, tabaco, alcohol o drogas).

Dar el pecho

Dar el pecho es la mejor opción para tu chica y para el bebé y, por qué no decirlo, la opción más económica. Pero no siempre es fácil dar el pecho al bebé, y una mala colocación puede ocasionar en la futura mamá molestias y dolor, mucho dolor...

1
Elegir la postura para amamantar

2
Situarse en posición con la espalda y los pies bien apoyados

3
Se coloca al bebe perpendicular al pezón

4
Se enfoca nariz contra pezón

5
Introducir el pezón con decisión al abrir el bebé la boca

6
Madre y bebé tienen que estar cuerpo contra cuerpo

7
El pezón ha de quedar hacia el paladar

8
La cara del bebé tiene que mirar hacia el pecho

9
Los labios del bebé tienen que estar hacia afuera. Tiene que quedar más areola libre por encima que por debajo del pezón

10
Se debe observar movimiento en la articulación de la mandíbula

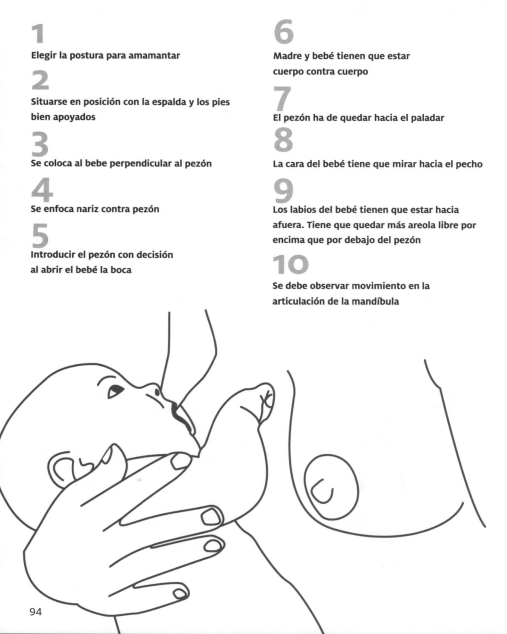

Lactancia artificial

- Las leches artificiales cubren perfectamente las necesidades nutricionales del bebé.
- A veces es algo más difícil su digestión.
- Se puede establecer un fuerte vínculo afectivo entre la mamá y su bebé, en momentos de gran intimidad y contacto. Además, el biberón va a permitir al padre compartir con la madre la responsabilidad y el placer de alimentarle.
- Hay que llevar encima las provisiones adecuadas cuando se va a estar fuera de casa.
- El bebé puede ser alimentado por alguien que no sea su madre.
- Las tomas son mas espaciadas que con la leche materna.
- Algunas pueden ser caras.
- La mamá puede alimentarse y llevar los hábitos que quiera.

Vistas las dos opciones, uno es libre de decidir lo que más conviene. Aunque es cierto que para el bebé es mejor la leche materna, las leches artificiales son tan buenas que la diferencia no justifica la decisión si otros factores os vienen mal. Es bueno que también tú alimentes al bebé, bien con leche artificial, bien con leche materna. En este caso, ella tendrá que sacarse leche para que tú le puedas dar el biberón.

- Desde el punto de vista del hombre, es mejor indudablemente la leche materna, pero ponte por un momento en la piel de la mamá. Ella ya lleva nueve meses cuidándose «a tope» y amamantar al bebé le supone seguir sacrificándose durante un montón de meses más.

- Si tu chica quiere amamantar al bebé pero algún problema médico se lo impide temporalmente, existen bancos de leche: leche materna donada por otras mamás.

Sudar a lo bestia

Uno de los síntomas del embarazo del que menos se habla es del exceso de sudoración que sufren muchas futuras madres. Que tu chica sude mucho más de lo que lo hacía antes de su estado de gestación es algo completamente normal. Es un síntoma habitual causado por la retención de líquidos que las gestantes padecen, sobre todo, en la última fase del embarazo.

El sudor es uno de los métodos naturales que usa su cuerpo para eliminar el exceso de líquidos. Quizá, además del exceso de sudor, también su olor sea mucho más fuerte de lo normal, en buena parte debido a sus cambios hormonales. Algunos médicos sugieren que el aumento del flujo sanguíneo en una embarazada provoca una subida de temperatura, y que en parte este sudor es para regularla.

Es importante que, si le pasa esto, use prendas de tejidos naturales, como el algodón o el lino, y lo más holgadas que pueda; además, así evitará también roces e irritaciones. En cuanto a la higiene, puede ducharse tantas veces como quiera, con cuidado de elegir geles que no resequen su piel. Y, por supuesto, no olvidar beber mucho líquido, pues esa pérdida de agua podría desembocar en una deshidratación.

- En definitiva, evidentemente el aumento de sudor no es ningún problema de salud, ni para ella ni para su bebé; simplemente le puede resultar una incomodidad en su día a día, y eso lo sueles sufrir tú. Algo habrás hecho para merecerlo, ¿no?

- Márcate un detalle y regálale alguna prenda ligera. Ojo con lo que dices: hablar sobre su olor corporal puede ser tan «complicado» como el tema de los kilos. A nadie nos gusta.

¿Seremos buenos padres?

Son muchas las ansiedades, dudas y temores por los que seguramente estaréis pasando ante la llegada de vuestro bebé, sobre todo si sois primerizos. Surgen tantas preguntas: ¿estaremos a la altura?, ¿sabremos cuidarle bien?, ¿cómo le educaremos?... Miedos absolutamente comprensibles ante un acontecimiento tan nuevo, desconocido y de tal envergadura.

Pero ¿existe una manera de aprender a ser buenos padres? No existe ni receta mágica ni libro de instrucciones... Tendréis que guiaros en parte por lo que intuitivamente ya sabéis, y armaros siempre de una alta dosis de paciencia (empezando con vosotros mismos), cariño y serenidad... Seguro que no os resulta tan difícil y que lo hacéis de maravilla.

Procurad no proyectar en vuestro bebé necesidades o sueños vuestros, dejadles ser como son. Tratad de escucharlos con atención y de comprender sus necesidades aun cuando no sean capaces de expresarlas y, sobre todo, trabajad vuestro **autocontrol**: no se puede pedir a un bebé un autocontrol (que deje de llorar, de gritar) que ni tú mismo tienes. Sed siempre adultos y enseñad con el ejemplo. No olvidéis que el ser humano aprende por **imitación**.

• Tener un bebé implica una responsabilidad para la que os lleváis unos meses preparando. El sentido común es el mejor consejero, pero, si no lo veis claro, nada os impide preguntar a otras madres e incluso a las vuestras. Seguramente ellas ni se acuerdan o se acuerdan vagamente, lo que os dará a entender que los niños no necesitan un libro de instrucciones sino simplemente amor y lógica. Si a ti no te gusta bañarte con el agua fría, piensa que al bebé tampoco le gustará.

Ir al dentista

Es muy importante que, a lo largo de su embarazo y durante la lactancia, tu chica preste especial atención a su salud bucodental. Ante el considerable aumento de las hormonas (prolactina y estrógenos), que condicionan cambios en todo el organismo, aumenta el riesgo de caries, de desarrollo de gingivitis (sangrado de encías) y de enfermedad **periodontal**.

No es raro escuchar a mujeres que han perdido piezas dentales durante su embarazo o unos meses después de dar a luz. Para paliar esta penosa consecuencia y cualquier otra posible afección dental es fundamental que la futura mamá mantenga una buena higiene bucodental durante los nueve meses de su embarazo y la lactancia.

Conviene limpiarse los dientes después de cada comida con un cepillo de cerdas finas que no irrite las encías, utilizar dentífricos con fluoruro y completar la limpieza con hilo dental; de este modo ayudaremos a disminuir el sangrado de las encías y prevenir la gingivitis.

Antes de que se olvide, llama al dentista y pide cita a la futura mamá para una revisión. Así podrá prevenir posibles problemas y recibir orientación en caso de necesitar algún tratamiento. Atrévete, ella seguro que no es tan «miedica» como tú con las agujas.

Glosario

Anticuerpos. Son proteínas empleadas por el sistema inmunológico para identificar y neutralizar bacterias, virus o parásitos.

Autocontrol. Los bebés no saben hacer prácticamente nada y lo que aprenden lo hacen por **imitación.** Si estáis tranquilos y contentos, es mucho más sencillos que ellos imiten este estado.

Periodontal. Relativo al periodonto, tejido que rodea y soporta los dientes.

Semana **22**

¡Por fin! Algo tangible

Se mueve, me mueve...

Por mucho que haya visto el test de embarazo, las ecografías o cómo le empieza a engordar la panza, tu chica no se sentirá realmente embarazada hasta que comience a sentir a vuestro bebé. ¡Por fin algo tangible! Aunque el bebé hace tiempo que se mueve, es entre la semana 18 y la 22 cuando ella comenzará a sentirlo.

El hecho de sentir al bebé es un buen síntoma, pero no os agobiéis si todavía no lo nota. Algunas mamás tardan más en sentirlo o en diferenciar lo que son los movimientos del bebé de las molestias abdominales que suelen tener. Las mamás que estén gordas pueden sentirlo menos, ya que la grasa amortigua sus movimientos. De igual manera, las mamás que ya han tenido otros hijos suelen percibirlo antes, ya que saben reconocerlo fácilmente. Cuando mejor se nota es después de una buena comida o cuando tu chica come algún dulce.

Una vez que haya empezado a sentir sus movimientos, estos serán cada vez más frecuentes y más fuertes. Pon la mano en su tripa un buen rato y quizás puedas percibir sus primeras patadas. Según pasen las semanas será mucho más fácil, e incluso podrás ver cómo se mueve la panza de tu chica.

Le llamaremos Diego Armando, se lo ha ganado

- Algunos bebés patean con mucha fuerza, parecen futbolistas. Tienen tanta fuerza que sus patadas pueden llegar a doler, asustarán a su madre en más de una ocasión y llegarán, incluso, a despertarla.

- A veces parece que el bebé juega con nosotros: se mueve hasta que ponemos la mano y, justo entonces, deja de hacerlo. El bebé ya siente y muchas veces se aparta al notar el contacto.

Técnicas de relajación

Mil veces lo habrás leído ya en estas páginas, y piensa que será por algo. Si hay un momento en la vida en que estar relajado compensa, es en este. Aquí te dejamos algunas técnicas de relajación para que las compartas con tu chica. Quizás juntos lo consigáis mejor.

Meditación

Cualquiera puede practicar la meditación, pues no requiere ningún equipo. Es una de las mejores técnicas para eliminar el estrés y la ansiedad. Además, elimina los pensamientos negativos de nuestra cabeza.

Yoga

Esta técnica es una de las más conocidas y extendidas. El ejercicio físico y mental nos facilita liberarnos del estrés.

Música

Es una de las técnicas más sencillas y, a la vez, con mejores resultados. No toda la música es relajante ni a todas las personas les relaja por igual. La música clásica es usada desde hace años para ejercicios de relajación.

Alimentos

La relajación mediante los alimentos es también sencilla. Hay alimentos, como las frutas, las verduras o los cereales, que nos ayudan a relajarnos.

Masajes

Es la técnica de relajación más antigua y extendida. Existen masajes de muchos tipos, desde terapéuticos hasta los puramente relajantes. Además, los masajes pueden complementarse con cremas.

Taichi

Los movimientos suaves y continuos nos aportan un estado de relajación total. La meditación en movimiento es una de las mejores alternativas.

Tu acidez me da acidez

Es normal que tu chica tenga acidez e indigestión desde hace varias semanas. Trata de ayudarla en la dieta y sé paciente con las más de 14.000 veces que te lo ha dicho. Por suerte, la acidez nada tiene que ver con la salud del bebé, y mucho menos con la cantidad de pelo que tendrá al nacer; ¡qué absurdo!

Durante el embarazo, el cuerpo de tu chica se llena de progesterona y estrógenos que producen el relajamiento de la musculatura, incluyendo el **tracto gastrointestinal**. Esto hace que todo vaya más despacio, que el alimento esté más tiempo circulando y que sea mayor la absorción de los nutrientes. Dentro de esta relajación general, también se incluyen el estómago y el esófago, permitiendo que los ácidos del estómago lleguen al esófago y provoquen ese ardor que seguro que tú has sentido más de una vez, aunque por distintos motivos.

A partir de este momento, y según avance el embarazo, esta acidez será más frecuente; piensa que la panza no deja de crecer y que el estómago de tu chica va subiendo y siendo presionado. Por pura física, es imposible que ella pueda evitar la acidez durante todo el embarazo.

- Si relajarse le sienta bien a tu chica, seguro que has pensado en el sexo. El sexo no es perjudicial en ningún momento del embarazo, pero ¿a ti te apetece cuando tienes indigestión? Quizá sí... pero no es lo normal.

- Como último recurso, y si la acidez le molesta mucho, puede usar algún antiácido; no todos son recomendables, así que lo mejor que puedes hacer es ir al médico o a la farmacia y preguntar.

El estrés no es bueno

El estrés no es bueno para la embarazada, pues se angustiará y estará nerviosa. Tampoco para el bebé, porque puede provocar un parto prematuro o peso insuficiente. Y menos para la pareja: a más nervios, más broncas, a más broncas, más nervios. Aunque es cierto que el estrés es natural y beneficioso a corto plazo, el exceso de estrés es perjudicial.

Si queremos reducir el estrés, primero debemos encontrar su origen. Lo más normal es que sea provocado por el montón de cambios que estáis sufriendo; piensa que su cuerpo está transformándose constantemente tanto a nivel físico como psicológico. A esto debemos sumarle el estrés externo, que puede ser familiar, social, laboral o de pareja.

Para combatirlo, se pueden hacer un montón de cosas. El yoga, el ejercicio moderado, algunas vitaminas, pautas saludables en el trabajo, dormir lo suficiente, comer muchas veces en pequeñas cantidades, un viaje o incluso una tarde de helado y televisión son algunas de las cosas que le pueden relajar. Para ayudar a tu chica, tú debes ser el primero que se tome la vida de una forma más tranquila. No le pidas lo que tú no haces.

- Si el estrés viene provocado por vuestra economía, hay maneras de rebajar el coste. Haz una lista de prioridades y piensa que no es necesario que todo lo del bebé sea nuevo.

- ¿Qué tal regalarle un buen masaje después de un baño de espuma? Si no te sientes seguro de saber dárselo bien, quizás una cena deliciosa, unas velas con Caetano Veloso de fondo y un buen baño le relajen lo bastante. Sí, conlleva sacrificio, pero ya sabías dónde te metías.

Escribe a tu bebé

Piensa si te gustaría saber cómo se sentían tus padres cuando estaban esperando que nacieras. Bueno, no lo pienses mucho: la visión de tus padres con eso pelos que llevaban te puede desanimar. Empieza un diario destinado a tu bebé contando cómo te sientes durante el embarazo. Ahora hay un montón de **herramientas** *on line* para hacerlo de una forma cómoda. Crea el diario y compártelo con tu chica, seguro que le va a hacer un montón de ilusión.

Lo mejor es que lo hagáis cronológicamente y en primera persona; aprovechad para escribir cómo os sentís y para incluir las fotografías o vídeos de las ecografías e ir contándole su evolución. Dentro de unos años, cuando lo pueda leer, le va a hacer mucha gracia, y cuando vuestro bebé sea un adulto, pocos recuerdos tendrá tan grabados en la memoria como vuestras propias palabras.

Además, crear un diario ayudará mucho a la futura mamá a sincerarse sobre cómo se siente, a compartir sus miedos, sus alegrías y sobre todo la ilusión con la que está esperando a su bebé. Puede ser una buena herramienta para que se relaje y para que se dé cuenta de tu compromiso con ella y con el bebé.

- El formato de diario *on line* es el más cómodo, pero hay mil maneras de crearlo y de organizarlo; quizá queráis incluir fotografías vuestras, la música que le ponéis, etc. También le gustará si os convertís en sus blogueros particulares o, mejor aún, en videoblogueros.

- Es una buena idea incluir noticias actuales para que cuando lo lea de mayor entienda no solo vuestras palabras, sino también la realidad en la que vivís.

¿Qué es una doula?

En los últimos cien años la sociedad occidental ha pasado de contemplar el parto natural en casa como lo más habitual a hacerlo prácticamente impensable, siendo lo normal un parto totalmente medicalizado. Últimamente la sociedad está intentando recuperar la esencia de los procesos naturales, entre ellos el parto.

La doula es una persona formada para ayudar en el parto aunque no posea una titulación médica específica. Simplificando mucho, serían como las comadronas que atendían a vuestras abuelas. Pero no son simplemente matronas no tituladas: una doula suele aportar una gran experiencia, y muchas de ellas son expertas en apoyo emocional y técnicas de relajación que harán del parto una vivencia más enriquecedora para la madre.

¿Sigues dudando de qué es una doula? ¿Piensas que son una especie de matronas místicas? ¿Es una matrona exclusiva que puede tratar a tu chica con más cuidado? Pues todo y nada; si tenéis intenciones de vivir un parto natural, lo mejor es conocer a una y comprobar si hay esa conexión especial para confiar en ella.

En algunos casos también hacen un trabajo postparto atendiendo a la mujer y al bebé en todos los aspectos, desde lo más físico hasta lo más espiritual, pasando por consejos o enseñanzas, desde aliviar las molestias hasta enseñar a tu chica cómo amamantar al bebé.

Glosario

Tracto gastrointestinal. Compuesto por boca, faringe, esófago, estómago, intestino y ano. Sirve para extraer energía y nutrientes y expulsar los residuos.

Herramientas *on line.* Desde el simple Google Docs hasta herramientas mucho más complejas, todas nos ayudan a escribir y compartir lo escrito, pudiendo incluir archivos de imagen, audio y vídeo.

Semana **23**

Decirlo en el trabajo

El calostro

A lo largo del embarazo algunas mujeres tienen secreciones en los senos: es el calostro, la sustancia viscosa que nutre al bebé los primeros días después del nacimiento, antes de que los pechos comiencen a producir leche. El calostro puede salir por sí solo, al masajear el seno o durante la excitación sexual.

El calostro se considera una vacuna para el bebé por su altísimo contenido en anticuerpos que protegen al recién nacido de infecciones, virus y bacterias. También desempeña un papel vital en el aumento del peristaltismo intestinal, que ayuda al recién nacido a la eliminación del meconio con facilidad. Al principio, el calostro es de color amarillento y poco después se vuelve incoloro.

Estas secreciones son parte de la preparación, durante el embarazo, de los pechos de la mujer. Al tiempo que crecen, las glándulas mamarias se preparan para su función más importante en ese momento: producir leche. Habéis de saber que la cantidad de calostro que se secrete durante el embarazo no tiene relación con la producción de leche después del parto; de hecho, en algunos casos el calostro no aparece durante el embarazo.

Son mis derechos

- El calostro y la lactancia materna en general son un tema muy importante tanto para tu chica como para el bebé. Existen decenas de libros dedicados en exclusiva a este tema. También hay asociaciones y ligas en defensa de la lactancia materna que son muy activas. Aunque su labor es muy encomiable, quizá ella no esté muy dispuesta a amamantar en público, siempre que lo pida el bebé (sin horarios) y mucho menos hasta los 3 años. Piensa que al bebé le saldrán los dientes mucho antes.

Trabajar de forma cómoda

Si todos deberíamos trabajar de forma cómoda, tu chica debe tomárselo aún más en serio. Su postura durante un montón de horas puede afectar mucho a sus molestias: la espalda, la retención de líquidos, los dolores de cabeza, etc. Influye más de lo que parece.

De pie

Los pies deben estar paralelos sin apoyar el arco interior, las rodillas, semiflexionadas, y la cintura y la espalda, relajadas. Los hombros deben estar lo más bajos posible, y la cabeza, mirar al frente. No hay que inclinarse hacia adelante, es mejor flexionar las piernas.

Caminar

Los zapatos deben ser cómodos, sin tacones, y hay que caminar sin arrastrar los pies. Las rodillas deben estar relajadas, y la columna, recta. Los hombros, bajos y relajados. El peso debe cargarse compensado entre los dos brazos.

Postura para sentarse

Las piernas no deben estar cruzadas y el peso debe recaer en las nalgas. La espalda recta y los hombros relajados son imprescindibles para evitar dolores. No hay que inclinarse hacia el escritorio y hay que levantarse habitualmente y pasear unos minutos

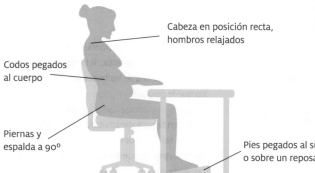

Cabeza en posición recta, hombros relajados

Codos pegados al cuerpo

Piernas y espalda a 90º

Pies pegados al suelo o sobre un reposapiés

La ropa del bebé

La elección de la ropa, especialmente si este es vuestro primer bebé, necesita de algo de asesoramiento, ya que muy a menudo las prendas elegidas por los padres y madres primerizos no son las más convenientes ni útiles.

Pese a la emoción del momento, antes de lanzaros a comprar la ropita del bebé recordad estas pequeñas pautas: los bebés necesitan llevar ropa cómoda, no muy ajustada, que tenga mangas fáciles de poner y puedan abrocharse sin dificultad. Dada la dificultad que en un principio entraña vestir a un bebé recién nacido, debéis evitar los lacitos o esos pequeños botoncillos que no hay quien consiga abrochar y que se pueden desprender fácilmente. Además, necesitareis una rápida accesibilidad a los pañales, pues al principio habrá que cambiar al bebé muchas veces. No hay nada peor que la ropa incómoda si no eres todavía muy ducho en cambiar pañales con premio.

Lo idóneo para los primeros meses de vida son las ropitas con corchetes, velcro o gomas elásticas, y si se abrochan por delante, mejor. La ropa interior, bodis, camisetas, braguitas, calcetinillos... ha de ser siempre de algodón, sin costuras interiores ni etiquetas que puedan producir roces sobre la piel; y la ropa en invierno debe ser de algodón o lana, evitando que pique o desprenda pelillos como la angora. La piel del bebé está nueva, piensa que es muy delicada y que lo aparentemente normal le puede provocar una irritación.

Aunque el bebé nazca en verano, siempre hay que tener algún body o pijamita de manga larga, así como una rebequita y gorrito. Los calcetines son otra de las prendas imprescindibles también, tanto en invierno como en verano. El calor se pierde mayoritariamente a través de los pies y la cabeza.

El lavado de la ropa del bebé puede realizarse en la lavadora sin problemas. Durante los primeros meses será mejor que laves su ropa sin juntarla con la tuya o la de su madre; así podréis utilizar un detergente especial para su piel hipersensible. Recuerda que la regla de oro es: sencillez y confortabilidad para el bebé, y comodidad y practicidad para vosotros. Además, grábate como un mantra la idea de no comprarle mucha ropa. Quizás te apetezca comprársela, pero pasados los meses verás que ya no le vale e incluso que mucha no llegó a estrenarla.

- La ropa de bebé es muy chula, pero parece que su apariencia es directamente proporcional a la facilidad para ponérsela. Tratándose de ropa, y sin caer en el tópico, seguro que tu chica lleva meses comprando pequeñas prendas para el bebé. Estaría bien que tú también le compraras ropita por tu cuenta para que aprecie que estás tan ilusionado como ella. Eso sí, no te extrañe si los bodis con el logotipo de Los Ramones acaban como último recurso para cuando el bebé haya manchado el resto.

- La ropa del bebé dependerá mucho de la época del año en que nazca; si lo hace en verano, ten por seguro que los bodis serán casi lo único que le pongáis.

- Como en la ropa de adultos, dos prendas de la misma talla pueden diferenciarse mucho de tamaño, por lo que es mejor no dejarte guiar por ellas. Sobre todo en este momento en que la talla de recién nacido debe valer para el de 2 kilos y para el de 4 kilos.

Hablar con RRHH

Elegir el momento de anunciar el embarazo en el trabajo es una decisión muy personal en la que intervienen varios factores que la futura mamá tendrá que valorar. Es frecuente que la embarazada espere hasta después del primer trimestre, cuando el riesgo de aborto espontáneo es menor. Otras están ansiosas por anunciar la noticia.

Sea cual fuere la elección de tu chica, conviene considerar algunos aspectos. Ante todo, y aunque la relación de trabajo sea amistosa, es aconsejable que sea ella la que informe a su superior para evitar la incómoda situación de que se entere por rumores. Además, si ya tiene las molestias típicas del embarazo, como las náuseas, las migrañas o la fatiga, es mejor que su superior sepa cuanto antes cuáles son las razones de su falta de concentración o menor rendimiento.

En cualquier caso, y de cara a conocer sus derechos, es importante que la futura mamá sepa que no tiene obligación legal de comunicar a la empresa que está embarazada. No existe ningún artículo en toda la **legislación laboral** que indique que la mujer tiene que comunicar este hecho personal y privado a la empresa.

- Cuando una mujer embarazada está buscando empleo o en pleno proceso de selección de personal, no debe comunicar su estado. No existe obligación legal de hacerlo y la mera lógica empresarial haría que fuera desestimada sin mirar siquiera los méritos de su CV para llevar a cabo su labor. Aunque la sociedad ha avanzado muchísimo en pocos años, no debemos olvidar que se sigue rigiendo por una política laboral claramente machista. Y ella tiene sus derechos.

Aunque cada empresa es un mundo y cada relación laboral otro, el sentido común aconseja evitar la comunicación de embarazo en el caso de una situación de inestabilidad laboral. Por desgracia, la discriminación laboral de la mujer embarazada es un hecho latente.

En el caso de llevar a cabo la comunicación de embarazo, hay que realizarla siempre por escrito y con **acuse de recibo** dirigida al departamento de personal. Deben constar la fecha prevista del parto, la clasificación médica del mismo (embarazo de riesgo o no), si el ginecólogo nos ha prescrito reposo (adjuntar justificación médica) y todos aquellos datos que consideremos oportunos para facilitar la adaptación de la empresa a la nueva situación. La trabajadora ha de quedarse con una copia firmada y sellada de esta comunicación, dado que si hubiese que tomar medidas legales por producirse algún caso de discriminación, este documento facilitará mucho las cosas.

Es una lástima que en el siglo en que vivimos todavía exista una importante discriminación hacia la mujer por la latente posibilidad de que en algún momento pueda quedarse embarazada. Al menos en el sector público y en las empresas modernas, no existe la discriminación y siempre se decide en beneficio de la mujer.

Glosario

Legislación laboral. La ley no exige comunicar el embarazo a la empresa, si bien es mejor hacerlo. Evitará complicaciones a la hora de acudir a revisiones o peticiones de cambio de funciones o de horario.

Acuse de recibo. Documento que prueba que la notificación ha sido debidamente recibida en el departamento de RRHH de la empresa.

Semana **24**

El tal O'Sullivan

Azúcar...

Durante el segundo trimestre, otra de las pruebas a las que deberá someterse tu chica para el **cribado** de la diabetes gestacional es el famoso, por su controversia, test de O'Sullivan. Esta prueba, destinada a valorar los niveles de azúcar en sangre para diagnosticar los casos de diabetes gestacional, se suele hacer rutinariamente a todas las embarazadas entre las semanas 24 y 28 de gestación.

En ella se miden los valores de glucemia tras una sobrecarga oral de 50 g de glucosa y se realizan dos mediciones en intervalos de una hora. Los valores para cada intervalo deberían estar dentro de unos límites máximos. Si hay un valor que excede los límites, se repite la prueba unas semanas después. Si se vuelve a exceder el límite, se diagnostica intolerancia a la glucosa; y si aparecen dos valores que exceden los límites, se diagnosticará diabetes gestacional.

Uno de sus mayores problemas es que resulta una prueba muy molesta para algunas mujeres, que directamente vomitan el azúcar antes de que se cumpla el tiempo suficiente; otras sufren náuseas y mareos después de habérsela realizado.

Dulce es una tarta, esto es asqueroso

- Hay muchas opiniones en contra y a favor, aunque quizás es excesiva la controversia, pues la prueba en sí no supone riesgo ni para la embarazada ni para el bebé. Es cierto que a algunas mujeres les resulta desagradable y que el embarazo no es ninguna enfermedad para tratarlo como un proceso patológico. Pero también es cierto que gracias a este tipo de prueba generalizada se consigue que miles de mujeres con diabetes gestacional sean controladas y tratadas.

El mundo del sujetador

Para poder ayudarla, tienes que comprenderla, y sí: los sujetadores también entran en comprenderla. Conforme vaya quemando etapas en su embarazo, irá necesitando distinto tipo de sujetador. Aquí puedes ver resumido algo mucho más sencillo de entender que lo que ella nos dice.

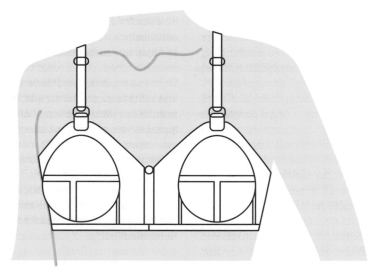

Primer trimestre

Las cosas no son automáticas, por lo que durante el primer trimestre tu chica no necesitará cambiar. La seguirás viendo con los de siempre.

Segundo trimestre

Ya se va notando el aumento, por lo que es recomendable comprar alguno de una talla mayor; puede que no le sirva durante mucho tiempo, así que a ahorrar.

Tercer trimestre

Son superfeos pero no queda otra; un sujetador premamá hará bien su función. No hay sujetadores premamá sexis; simplemente es imposible.

Para dormir

Con un sujetador deportivo bien ajustado ella evitará los dolores, y tú, las patadas cuando la rozas sin querer al dormir. Son un gran invento.

Después del parto

Lo más cómodo será el típico sujetador de lactancia. En estos se puede desabrochar la copa, de modo que puede amamantar sin quitárselo.

El sexy

En algún momento, ella se olvidará de todos estos temas y le apetecerá otra vez estar sexy. Puede que tarde en llegar, pero no desesperes.

Demasiado pecho

Uno de los primeros cambios que empezará a notar la futura mamá en su cuerpo será el aumento de su pecho. La grasa se acumula en sus senos por el desarrollo de las glándulas mamarias, que, en sí mismas, también experimentan un crecimiento muy notable.

Las hormonas empiezan circular por el cuerpo de la mujer desde los primeros momentos del embarazo, y muchas de ellas tienen una incidencia especial en la metamorfosis de los senos. La progesterona incide en el crecimiento de las glándulas mamarias, y los estrógenos, en el desarrollo de los **conductos de la leche**. La prolactina, la oxitocina, la hormona lactógena placental y la hormona luteinizante participan en los procesos de formación de la leche materna y en los cambios de tamaño y las alteraciones que sufren los senos.

Es probable que el estiramiento de la piel provoque cosquilleos, picazones y estrías. La sangre fluye en mayor cantidad hacia los senos y una inmensidad de venas que hasta ese momento eran imperceptibles se hacen totalmente visibles. Además, en general, los pezones se oscurecen y se hacen más prominentes, así como la **areola**.

- No debemos perder de vista que somos animales y que el aumento de pecho es totalmente natural. La función de los senos es amamantar al recién nacido y desde los primeros instantes de la gestación se están preparando para ello.

- Además del probable dolor de espalda por ese aumento de peso, es normal que se produzcan otras molestias que tu chica tratará de reducir con cremas hidratantes. Ofrécete a ayudarla, el «no» lo tienes garantizado.

Más equilibrada

Nos estamos acercando poco a poco al tercer trimestre del embarazo y la sensación es que el tiempo pasa más despacio. El comienzo del embarazo es una constante sucesión de cambios y novedades que no nos deja tiempo para plantearnos las cosas con más tranquilidad, algo que ahora si podemos hacer.

Su cuerpo, ya más acostumbrado a la intensa actividad hormonal, dejará que ella esté más relajada y disminuirán sus cambios de humor. En general, tu chica cada vez se parece más a la mujer que conocías antes de quedarse embarazada.

Aunque también puede que se sienta muy cansada, pues tendrá serias dificultades para dormir y el considerable aumento de su barriga y de su peso general le harán quizá tener también ciertas dificultades para caminar e incluso para respirar.

Dentro de su cabeza, la balanza entre la ilusión y la ansiedad se está equilibrando. La ilusión sigue siendo la misma, pero está librando una dura batalla con la ansiedad, batalla que tiene perdida de antemano pues el momento del parto se acerca cada segundo.

- Aunque seguro que lleva meses consumiendo toda la información sobre el embarazo que cae en sus manos, puede ser un buen momento para que veáis algunos vídeos sobre partos. El parto está todavía demasiado lejos como para que le dé miedo pero lo suficientemente cerca como para ir desmitificando un proceso tan natural. Hay un montón de vídeos en el mercado, y también le puede ayudar ver los *realities* sobre el embarazo y el parto que tan de moda están.

Nuevos sujetadores

El embarazo generará muchos cambios en el cuerpo de tu chica y, sin duda, uno de los más perceptibles tendrá lugar en sus pechos. La verdad es que hay embarazadas que pueden llegar a sentirse muy incómodas por el tamaño que llegan a tener sus senos, tanto por su nuevo aspecto como por lo que pesan y los movimientos que les dificultan y que antes realizaban sin problemas.

Y asociado a este aumento de pecho está el hecho de que los sujetadores que usaba habitualmente... ¡¡ya no le valen!! Comprar uno que se adapte a sus necesidades se convertirá en una auténtica prioridad. El sujetador se convertirá en la pieza esencial de su vestuario, ya que uno diseñado especialmente para embarazadas le evitará las molestias y dolores propios del aumento de tamaño de sus senos.

A la hora de comprar un nuevo sujetador, tendrá que tener en cuenta la comodidad, la sujeción, la composición y el diseño en sí. La verdad es que dentro de todo lo que vas a hacer con ella, acompañarla a comprar ropa interior quizá sea de las cosas más agradables. Eso sí, tú asiente y da la razón como hacías cuando no estaba embarazada.

- Compartir la cama con una embarazada no es tan sencillo; dicho así, suena feo, pero tú sabes a qué nos referimos. Seguro que tu chica te ha comentado sus molestias, puede que a gritos algunas veces si has rozado sus pechos al darte la vuelta en la cama o al mover las sábanas. Por eso encontrará en nosotros un cómplice para renovar sus sujetadores. Por muy feos que sean los nuevos, si le alivian y así podemos volver a dormir sin tanta preocupación, habrán cumplido su función.

Perdiendo la cabeza

Últimamente a tu chica se le olvida casi todo, está como distraída y tiene mucha menos precisión. Si hasta se tropieza constantemente. ¿Será eso normal?

Pues lo es. Ante el megaproyecto que significa fabricar un bebé con todo lo que ello conlleva, su cuerpo tiene que decidir en qué gasta su energía, que es limitada. Como la naturaleza es sabia, su cerebro decide descuidar aspectos algo menos importantes, como la concentración, para volcarse totalmente en el bebé.

Es sencillo: simplemente tiene menos poder de concentración, y esto afecta a todas las tareas que realiza, no solo las voluntarias sino también las que hace sin pensar. De hecho, prácticamente todas las embarazadas se han caído en alguna ocasión durante la gestación, y no es porque el peso de la panza las desestabilice sino simplemente porque andan con menos cuidado.

Para entenderlo en nuestras carnes, solo tenemos que pensar en uno de esos días en que no hemos podido dormir. Sí, esos días en que no somos capaces de concentrarnos, en los que perdemos las llaves, se nos cae el café, no nos acordamos de dónde aparcamos, etc.

No seas malo, no te rías de ella. Intenta compensar su poca concentración, ella lo hace contigo prácticamente todos los sábados y no te lo echa en cara.

Glosario

Cribado. Uso periódico de pruebas y exploraciones para detectar una patología.

Conductos de la leche. Son la conexión entre los alveolos encargados de producir la leche y el pezón, de donde el bebé la toma.

Areola. Significa área circular, en este caso la piel coloreada que rodea el pezón.

Semana **25**

El señor Kegel

Ejercicios de Kegel

El aumento de peso que soporta la parte baja del abdomen durante el embarazo y la dilatación que experimenta el suelo pélvico para permitir la salida del bebé en general debilitan la musculatura de la zona y esto puede causar incontinencia urinaria, **prolapso** e incluso problemas sexuales. Para prevenir estos problemas, es fundamental que tu chica entrene sus músculos durante el embarazo y postparto.

Hay varias maneras de entrenar dichos músculos; por ejemplo, los masajes perineales sirven para ejercitar los músculos del suelo pélvico, pero no hay nada como los ejercicios de Kegel.

Estos famosos ejercicios tratan de trabajar la musculatura del periné a través de contracciones rápidas y lentas. Estas contracciones deben realizarse en series de diez las rápidas y en series de cinco las lentas.
- Contracciones rápidas: hay que contraer y subir los músculos del suelo pélvico rápidamente y con fuerza, relajarlo completamente y volver a contraer.
- Contracciones lentas: hay que contraer subiendo hacia dentro tan fuerte como se pueda, aguantar la tensión 5 segundos y relajar 10 segundos.

¿Dónde está el periné?
Aclárame eso

- ¿Dónde está el periné? Los ejercicios son sencillos pero ¿cuáles son los músculos del periné? Acostada sobre la espalda, tu chica debe flexionar las caderas, rodillas y tobillos, poner los pies planos en el suelo y separar las piernas. Si contrae lentamente el ano, notará cómo el periné se moviliza hacia dentro. También puede colocar dos dedos en la entrada de su vagina y contraer, notando de nuevo cómo esta se moviliza hacia adentro. Tú también puedes hacer estos ejercicios, investiga para qué...

Tenemos un plan

Y es el de parto. En un sencillo documento la futura mamá puede dejar por escrito todo lo que quiere que se cumpla en su parto, quién la acompañará, si quiere anestesia, etc. Indica sus preferencias por si durante el parto no tiene fuerzas para ponerse borde con quien le contradiga.

Plan de parto

En él deben constar el nombre de la parturienta y su filiación
y debe estar debidamente firmado.

Me gustaría que D/Dª . . . .
esté presente durante el parto, siendo quien corte el cordón umbilical

Para aliviar el dolor me gustaría utilizar
- Técnicas de relajación
- Anestesia epidural

Durante el parto me gustaría que...
- El personal médico sea el más reducido posible
- Pudiera llevar mis lentes
- Si hay complicaciones y se decide hacer una cesárea de urgencia, que mi acompañante pase al quirófano

En la fase de expulsión me gustaría...
- Empujar de manera guiada por la comadrona
- Usar un espejo para ver el proceso
- Evitar fórceps o ventosa siempre que se pueda

Gracias,

Fdo. . . . .

Las contracciones

Las contracciones son movimientos involuntarios e intermitentes de relajación y tensión de la fibra muscular uterina que en el parto se encargarán de empujar al feto hacia el exterior. Pero no solo están presentes en el parto: has de saber que tu chica ya las tiene desde las primeras semanas de su embarazo.

Este tipo de contracciones, que el cuerpo realiza como práctica y preparación previa al parto, se conocen como de Braxton Hicks. Por lo general pasan desapercibidas o causan un leve dolor, duran poco tiempo y suelen darse de forma ocasional.

A medida que avanza la gestación las contracciones se vuelven más intensas y frecuentes. Hacia la segunda mitad del embarazo se reconocen porque las embarazadas suelen notar como un endurecimiento del abdomen que se produce de forma regular. Durante las últimas semanas del embarazo su frecuencia se hace mayor, cada 10 o 20 minutos, de forma que a veces es difícil distinguirlas de las contracciones del inicio del parto, y esto es lo que suele preocupar a la gestante. ¿Cómo diferenciar las contracciones de Braxton Hicks de las del parto, también llamadas «creo que ya viene»?

- En las contracciones del parto no solo aumenta su frecuencia, sino también su intensidad y duración.
- Se siente una presión en la parte inferior del útero, dado que al tiempo que este se contrae, el bebé empieza a empujar hacia el **canal de nacimiento**.
- El dolor de las contracciones de parto es tenaz, y durante la fase activa este dolor no disminuye al cambiar de posición.
- Las contracciones de parto van acompañadas de dilatación. Generalmente se considera fase activa de parto cuando se pasa de tres o cuatro centímetros a diez de dilatación. Sí, has leído bien... 10 centímetros.

Si semanas antes de la fecha prevista para el parto se produjeran con mucha frecuencia dos o tres contracciones cada diez minutos por espacio de una hora o más, conviene ir a urgencias sin demora. Podrían ser los síntomas de un parto prematuro.

El umbral del dolor en cada persona es diferente, pero por las caras y algún que otro chillido que puedes ver y oír en los paritorios, deben de doler un montón. Recuerda: no será el momento adecuado para bromear con ella.

- Si fueran los hombres quienes tuvieran que parir, ten por seguro que la humanidad se habría acabado hace miles de años. Piensa que las contracciones no son ni más ni menos que una fuerza que hace que se estén, por así decirlo, abriendo las caderas y empujando el bebé hacia fuera. Ufff, qué dolor.

- Si tu chica ha solicitado anestesia epidural, el último tramo de dilatación y por lo tanto de contracciones será más lento.

- Cuando tu chica empiece con las contracciones dolorosas, será complicado que estés tranquilo, pero es lo que debes hacer. Intenta que esté relajada, ya que los nervios no son de ninguna ayuda en este caso. Ayúdala a contarlas y a decidir en qué momento ir al hospital, en caso de que sea el lugar elegido. Habla con ella sobre lo cerca que estáis de tener a vuestro bebé en los brazos y lo preparado que está su cuerpo para algo tan natural como es el parto. No le servirá de nada, pero ejercerá de placebo.

El plan de parto

El plan de parto es un documento en el que la parturienta deja constancia de sus preferencias a la hora de dar a luz. No todas las maternidades tienen el mismo protocolo para atender a las mujeres que llegan de parto. Se puede llevar a la maternidad o enviarlo certificado antes de poneros de parto, aunque si la embarazada aparece con él y las contracciones están en marcha, también ha de ser respetado.

El plan de parto refleja los deseos de la mamá:

- Respecto al dolor: ¿desea dar a luz sin medicamentos para el dolor o por el contrario desea que sea paliado lo máximo posible?
- Acompañante: quizá quiera que entre con ella el futuro papá o quizá se sienta más segura con su madre o una hermana.
- Durante el parto: dado que en muchos centros se realizan por rutina ciertas prácticas que no son imprescindibles, puede pedir que no le rasuren el vello púbico, decidir en qué postura prefiere dilatar, pedir que no le pongan una vía, que no le administren oxitocina o que no le hagan la **episiotomía** si no es estrictamente necesario.
- Tras el parto: explicitar si prefiere que no le separen del bebé nada más nacer, si quiere donar la sangre del cordón...

- Aceptar y rechazar un tratamiento médico es un derecho. Los médicos no tienen potestad para aceptar ni rechazar los planes de parto, con la única excepción de que pueden (y deben) negarse a realizar actuaciones que constituyan mala praxis.

- Infórmate bien sobre el protocolo del lugar donde vaya a parir. En muchos lugares siguen separando a la madre de su hijo nada más nacer, algo totalmente innecesario.

Ponle música

A partir del tercer mes de embarazo es bueno que la futura mamá y tú le habléis y cantéis al bebé, pero también, y sobre todo si afinar no es lo vuestro, que le pongáis música.

La música con fines terapéuticos o musicoterapia hace ya tiempo que se utiliza como técnica de estimulación prenatal para conectar a la mamá con su bebé. Parece comprobado que estas sesiones musicales facilitan el desbloqueo de las tensiones físicas y emocionales de la mamá durante el embarazo, lo cual influye directa y positivamente en el desarrollo de su bebé.

Se aconseja comenzar a partir del tercer mes de embarazo, pues en este momento el bebé ya siente las vibraciones. La música suave es un factor relajante que estimulará no solo a tu chica, sino también al bebé.

Podéis organizar estas sesiones musicales sanadoras en vuestra propia casa. Seleccionad aquellos temas de autores cuya música no tenga brusquedades: Bach, Vivaldi, Mozart... Comenzad con el volumen más bajo al principio e id subiéndolo poco a poco... Y a relajaros vosotros, que el bebé seguro que ya ha empezado a disfrutar.

Glosario

Prolapso. Es el desplazamiento de órganos, y en este caso se refiere al descenso del útero.

Canal de nacimiento. Es el conducto por el que tiene que salir el bebé; empieza en la parte superior de la pelvis y finaliza en el orificio vaginal.

Episiotomía. Es una incisión quirúrgica en la zona del perineo femenino. Esto no es más que un corte que realiza el médico para que al bebé le sea más sencillo salir. Realmente no debería ser necesario, ya que no sirve para prevenir los desgarros, pero es una práctica habitual en los partos medicalizados.

Semana **26**

Esto ya está hecho

El bebé ya es viable

El sexto mes de embarazo será un mes muy importante para vosotros porque se alcanza lo que se denomina «viabilidad del feto». Se considera que un feto es viable cuando cabe la posibilidad de su supervivencia extrauterina. Vamos, que este es el punto en que el bebé ya está «modelado» del todo y solo falta un poco más de tiempo para que acaben de madurar sus órganos y coja el peso suficiente para sobrevivir fuera de la tripa de su madre.

En general, alrededor de la semana 24 el feto podría nacer y sobrevivir con el cuidado adecuado, pero realmente esto varía con cada embarazo. La viabilidad viene determinada por el grado de desarrollo de sus **órganos críticos**, principalmente los pulmones y los riñones.

Seguro que has leído casos en que han sacado adelante a bebés seismesinos, pero no tengas prisa, dentro de la panza está muy bien. Los bebés tan prematuros que salen adelante suelen tener secuelas.

Antes de las 24 semanas, si se interrumpiera la gestación, hablaríamos de un aborto; pero a partir de ahora ya sería concebible intentar un parto pretérmino.

Nos va a quedar muy bien. Pedazo de receta

- No todos los órganos del bebé se desarrollan al mismo tiempo, ni tampoco en todos los bebés el grado de desarrollo es igual con las mismas semanas de gestación. La supervivencia de un bebé seismesino es impredecible, pues depende de una gran cantidad de factores distintos, desde el grado de maduración de sus propios órganos, sobre todo los pulmones, hasta el peso que presente al nacer. Además, hay pocas cosas más desconsoladoras para unos padres que ver a un recién nacido en una incubadora.

Viaje con nosotros

Te proponemos varios viajes adaptados a tus circustancias. Léelos, y si te imaginas caminando por los lugares que te recomendamos, ya sabes... Solo debes organizarlo, aunque ahora con internet tampoco es para darte un premio por ello. Por la iniciativa sí.

A LA CIUDAD

Qué mejor que ir o volver a París: mínimo esfuerzo y máximo romanticismo. El hotel con ascensor y la torre Eiffel igual.

El viaje debe ser pausado, no podéis actuar como turistas corrientes, todo el día de aquí para allá. No lo planifiques mucho, haced lo que os apetezca cuando os apetezca. Recuerda que el viaje es para disfrutar y no para conocer.

Si no habéis estado en París, es mejor cambiar de destino. Para poder relajarse bien es mejor revisitar un lugar. Así será más sencillo controlar tu vena de turista activo y poder tomarle el pulso a la ciudad.

Si los viajes son en avión, intenta que los horarios no sean ni muy pronto ni muy tarde.

A LA PLAYA

Es el viaje más relajante que pueda existir, unos días sin hacer absolutamente nada tirados los dos al sol.

Seguro que ya le va costando dormir, así que intenta que la habitación del hotel dé al mar. El ruido del mar es uno de los sonidos más relajantes que existen.

No participéis en actividades, habéis ido a descansar. Ya habrá tiempo en otros viajes para apuntaros a todas las excursiones que se tercien.

Las horas centrales del día no son buenas para tomar el sol, intentad evitarlas e id protegidos contra los rayos.

Puede ser un buen momento para ver cómo se esconde el sol con un cóctel en la mano, sin alcohol, eso sí.

A LA MONTAÑA

Hacer senderismo es muy beneficioso para tu chica. Además, el clima puede ser más agradable que en la playa, y el aire, menos contaminado que en la ciudad.

Los mejores sitios para practicar senderismo suelen ser los lugares de media montaña. Para desplazarte a estos lugares el transporte más común suele ser el coche, pero vigila que no sean muchas horas de viaje.

Antes de escoger un destino es bueno que investigues bien las sendas disponibles, si están señalizadas y su nivel de dificultad. Debéis escoger sendas fáciles en donde el desnivel y el terreno sean sencillos de superar para no fatigarse demasiado.

Tened cuidado, pensad que estáis en mitad de la montaña.

La espalda de tu chica

A mediados del embarazo, al pesar bastante más el útero, el **centro de gravedad** de la futura mamá cambia, y su postura también en respuesta a ello. Ella puede que tienda a inclinarse hacia atrás durante los últimos meses de su embarazo, lo que provocará que su espalda trabaje más; eso, sumado a la laxitud muscular asociada a su embarazo, provocará que sufra con mucha facilidad multitud de dolores de espalda.

Para evitar o aliviar estos dolores, tu chica ha de ser muy consciente de las posturas que adopta, ya sea estando de pie, sentada o en movimiento, y seguir estos consejos preventivos.

- Utilizar calzado con el tacón bajo.
- No levantar objetos pesados; esos para ti.
- No inclinarse para recoger cosas; mejor flexionando las rodillas.
- Sentarse en sillas que tengan respaldo donde apoyar la espalda.
- Utilizar un cojín para la zona lumbar cuando se siente en el sofá.
- Intentar dormir de costado con una almohada entre las piernas.
- Aplicar calor o frío en el zona dolorida.
- Recibir masajes de manos expertas.
- Mantenerse activa.

- El dolor de espalda durante el embarazo suele ser de dos tipos muy distintos. Uno es el dolor lumbar, que se localiza a la altura de la cintura hacia el centro de la espalda. Este dolor también puede extenderse en algunos casos hacia la pierna. El otro dolor es el pélvico, que se presenta en la cara trasera de la pelvis. Es un dolor profundo que se siente a la altura de la cintura y es mucho más común. Según pase el tiempo vas a tener que ejercer de muleta de tu chica, pues cada día necesitará más tu ayuda.

Más fotos

La ecografía Doppler o dúplex es una prueba especial mediante ultrasonidos que se realiza normalmente en la etapa final del embarazo, a partir de la semana 26, para comprobar que el suministro de sangre al bebé en el útero se lleva a cabo con normalidad y descartar enfermedades asociadas.

En los casos de embarazo de alto riesgo se suele realizar siempre una ecografía Doppler, y lo habitual es que sea utilizada por la mayoría de médicos como parte del seguimiento y las visitas de control normales, así que tu chica y tú tendréis una nueva fotografía de vuestro bebé.

En esta técnica ecográfica se miden la velocidad y el flujo sanguíneos y, en general, se pueden detectar, algunas semanas antes de su aparición, síntomas asociados con enfermedades o **retardo del crecimiento fetal**. La prueba se completa midiendo la presión arterial y con un análisis de sangre y de orina.

La prueba combina una ecografía abdominal normal con una exploración sonora, pasando una varita, llamada transductor (emite ondas sonoras), sobre el área que se va a examinar.

- Mediante este tipo de ecografía se pueden detectar anomalías y defectos cardíacos entre otros. Esto permitirá al médico hacer un seguimiento mucho más preciso del bebé.

- No dejéis de hacer ninguna prueba que os recomienden, ya no podéis pensar solo en vosotros. Aunque no tengáis al bebé en los brazos, haceos a la idea que ya sois tres. Cualquier anomalía del feto es muy importante conocerla cuanto antes mejor.

Aprovechad para viajar

Antes de comenzar la dura y a la vez maravillosa tarea de ser padres, de lidiar con pañales, biberones, llantos y largas noches sin dormir, una buena idea puede ser disfrutar de unas vacaciones en las que, además de celebrar la llegada del bebé, aprovechéis para relajaros y disfrutar de vuestras últimas escapadas en pareja antes del aumento de la familia.

Lo de viajar antes del alumbramiento no es una idea original, pues se organiza desde hace tiempo, incluso de manera comercial, en diferentes lugares del mundo. Es lo que se conoce como Baby Moon, o luna de miel con el bebé en la barriga. Actualmente el Baby Moon está de moda y es fácil encontrar agencias de viaje que ofrezcan este tipo de ocio. Que esté de moda no quiere decir que no sea una muy buena idea, ya que es más que probable que durante los primeros años de vida de vuestro bebé no hagáis muchos viajes, y de lo de estar los dos a solas relajadamente... despedíos por un tiempo.

Eso sí, si vais a hacer una escapada, tenéis que contar con el estado de ella; un viaje con complicaciones en el embarazo es como jugar con fuego.

- Seguro que tu chica y tú sois muy aventureros, pero ojo con los destinos del viaje, por muy bien que se encuentre ella. Lo mejor son los viajes de relax o culturales. Si hay algún problema con el embarazo durante el viaje, es mejor que os pase en Roma comiendo un helado junto a la Fontana di Trevi o en una playa de Tenerife a que os pase visitando Mongolia. No es un tema exclusivamente médico, es más un conjunto de cosas, como los medios, el idioma, el papeleo...

Entrando en pánico

«El día que decida ser madre tendré que parir.» Ella ya lo sabe, lo tiene claro desde antes de conocerte, seguro. Pero esto no significa que ahora que ya le queda relativamente poco para parir no entre en pánico.

De repente todo le preocupa. ¿Cómo va a salir un bebé por ahí? ¿Cuánto dolerán las contracciones? ¿Y si es cesárea? ¿La anestesia será general? ¿Quién estará conmigo en todo momento? ¿Hubiera sido mejor en casa? ¿La epidural será buena para el bebé? ¿En qué momento se me ocurrió ser madre? Y así cientos de preguntas que le vendrán a la cabeza. ¿Y quién está a su lado para escucharlas? Sí, tú. Ayúdala a intentar superar este miedo. Estos ataques de pánico ya los habrá sufrido un par de veces en lo que lleva de embarazo y todavía volverá a tener algún otro.

Dale tu confianza, busca información que ofrecerle, intenta que hable del tema con mujeres que ya han sido madres y sobre todo no dejes que tu madre o tu tía le vuelvan a contar aquel parto malísimo que duró siete días y acabó en cesárea de urgencia. Los tiempos han cambiado, y aquel mismo parto ahora no sería ni tan largo ni tan agónico.

Glosario

Órganos críticos. Son los órganos imprescindibles para la vida.

Centro de gravedad. Si el centro de gravedad de una persona se desplaza debido al aumento de peso en una zona en concreto, el cuerpo tiene que acostumbrarse a este desplazamiento para saber mantener la verticalidad.

Retardo del crecimiento fetal. Mediante la ecografía Doppler puede apreciarse si hay un retardo en lo que debería ser el crecimiento normal del feto. Este retardo puede tener varias causas y es un problema serio que debe llevar un seguimiento.

Semana **27**

Sonríe

La ecografía en 4D

La ecografía en 3D (tres dimensiones) y 4D (con movimiento en tiempo real) puede realizarse en cualquier momento del embarazo, ¡cuando los papás lo deseéis! Eso sí, en cada etapa el resultado es diferente.

Hoy día se puede decir que sois los propios padres los que elegís el momento para conocer a vuestro bebé. Dependiendo de en qué semana se haga la ecografía, podréis verle de cuerpo entero, con mucho movimiento, o distinguirle la carita con los rasgos con los que nacerá.

Por ejemplo, en la ecografía 4D de la semana 16 a la 20 de embarazo se podrá ver al bebé de cuerpo entero. El feto comienza a hacer movimientos activos, cierra los puños, ensaya la succión, juguetea con el **cordón umbilical**... En las semanas entre la 21 y la 25 ya veréis al bebé por partes, pues estará demasiado grande; por ello cuando se hace una ecografía 3D o 4D en esta fase del embarazo se enfoca sobre todo a la carita, para ver los rasgos y sus gestos. Y en las semanas de la 26 a la 31 encontraréis la carita de vuestro bebé ya totalmente definida, muy parecida a la que tendrá cuando nazca. Ya reacciona a estímulos y abre y cierra los ojos, realiza movimientos respiratorios rítmicos, etc.

- Los ultrasonidos de este tipo de ecografías son inocuos, no suponen ningún riesgo para la salud de la mamá ni del bebé, por lo que podríais realizar varias ecografías en el embarazo.

- Los bebés no posan ni miran al pajarito. Es probable que el bebé esté con las manos en la cara o jugando con el cordón y no podáis verle bien. En este caso, tu chica puede cambiar de posición a ver si hay suerte, pero si no quiere, no quiere. Será tímido o tímida.

No sé si es la nariz o el brazo, pero es precioso

Encremados

Si hay algo que por definición les gusta a las mujeres, sin miedo a caer en tópicos, son las cremas. Sin suponer cuánto le gustan a tu chica, aquí encontrarás algunas opciones indicadas para el embarazo. Por fin podrás entender por qué tiene tantos botes en el cuarto de baño.

Crema hidratante
En general, la crema hidratante hará que la piel reaccione mejor ante cualquier tesitura.

Crema antiestrías
La piel se va a tener que estirar bastante en poco tiempo, por lo que lo normal es que aparezcan estrías. Las cremas específicas proporcionan hidratación y elasticidad a la piel para evitarlo en la medida de lo posible.

Crema solar
Tu chica tiene que protegerse del sol por muchos motivos, entre ellos la facilidad con que le pueden salir manchas.

Cremas contra las manchas
Si las manchas de pigmentación ya han hecho acto de presencia, puede que las cremas consigan combatirlas en parte o totalmente.

Cremas antivarices
Activar la circulación le vendrá muy bien para luchar contra las varices que es posible que aparezcan.

Crema para los pezones
Una vez haya dado a luz, tendrá que cuidarse esa zona especialmente delicada y que será maltratada por el bebé.

Crema reafirmante
Lo mejor es el ejercicio físico, pero si logísticamente es imposible, una buena crema reafirmante puede ayudar.

Las estrías ya están aquí

Aunque el embarazo vaya de maravilla y la embarazada vaya acomodándose a los malestares, cambios y dolores de todo tipo propios del proceso, la repentina, aunque esperada, aparición de estrías puede generarle un bajonazo emocional.

La realidad es que a nueve de cada diez mujeres les salen estrías en el embarazo, o sea, será difícil librarse de la evidencia estadística. Las estrías son unas líneas o franjas que aparecen en la piel, de forma irregular, parecidas a las cicatrices; a veces parecerían zarpazos de león... Suelen salir entre el sexto y el séptimo mes del embarazo en las zonas del cuerpo de la mujer cuya piel más se está estirando: abdomen, pechos, glúteos, muslos y brazos.

Las estrías son desgarros producidos por la ruptura de fibras de **colágeno** y elásticas del tejido de la piel. Son prácticamente imposibles de tratar salvo con cirugía, pero sí se pueden intentar prevenir usando cremas específicas. Estas cremas nutren e hidratan la piel para mejorar su elasticidad y resistencia a los estiramientos. De esta sencilla manera se puede lograr que disminuya considerablemente su riesgo de aparición.

- Las estrías no son exclusivas del embarazo, también aparecen cuando se aumenta rápidamente de peso o de volumen y no se le da tiempo a la piel a estirarse correctamente.

- Aunque las estrías no son un problema médico sino estético, puede que tu chica no se las tome demasiado bien. Insiste en que es un problema menor y hazle saber que ni te importa que las tenga ni te hubieras fijado en ellas. Confírmale que somos más básicos.

Ya se nota

Casi a punto de cumplir los siete meses de embarazo, es más que probable que la barriga de tu chica ya sea evidente, aunque cada embarazada y su barriga son un mundo y quizá haga ya semanas que no pueda negar su estado.

A decir verdad, ella te dirá que ya era evidente hacía unos meses, pues seguramente haya tenido que cambiar de talla y correr botones varias veces, e incluso tenga ya varios modelos de ropa premamá; lo que sucede muy frecuentemente es que la embarazada echa tripa, pero lo que es la inconfundible y redonda «barrigota de embarazada» a veces tarda un poco más en dejarse notar.

En estas semanas del embarazo tu chica notará, además, que la línea alba de su vientre ya es perfectamente visible. Sus mamas habrán aumentado hasta tres veces su tamaño y puede que su ombligo también se haya deformado debido al incremento del volumen abdominal.

Seguro que a ratos te dirá que se siente gorda, que mira qué panza, que las tetas son enormes, etc. La mayoría de las chicas son incorregibles. Tú seguro que vas por la calle como un pavo real con ella del brazo...

- Un detalle que seguro que le gusta es el de haceros alguna fotografía juntos. Hay muchos estudios que son especialistas en embarazadas y son capaces de mostrar la realidad: que se ponen realmente guapas. Tú colabora, y si ella quiere hacérsela en pelotas, pues ya sabes... Tranquilo, la querrá enseñar a todo el mundo, así que tu virilidad seguirá en la intimidad.

- Está guapa, está tremenda, y puede ir orgullosa por la calle, nada de quedarse en casa.

Los kilos a raya

A medida que el cuerpo de tu chica se ha ido transformando a lo largo de su embarazo, es totalmente normal que haya ido cogiendo peso, pero ahora que se acerca la recta final, es muy importante mantener esos kilos a raya para evitar engordar más de lo conveniente.

Lo normal es que haya engordado entre 4,5 y 6,5 kilos durante el segundo trimestre del embarazo, y que en este tercer trimestre mantenga esta pauta y engorde más o menos lo mismo. Realmente ella es la que sabe cómo ha ido evolucionando su peso, y si hubiera aumentado demasiado en la mitad del embarazo, debería vigilar su dieta y reducir aquellos alimentos excesivamente grasos; además, tendrá que evitar picar entre horas, pero, en caso de no resistirse, es bueno que tenga a mano alguna fruta.

Por supuesto, es recomendable que siga con la pauta de mantenerse activa y, al menos, caminar entre 20 y 30 minutos al día. Si ve que anda en el límite de kilos, quizá sea bueno que se plantee, por ejemplo, ir a nadar. De todas maneras, si notase que está aumentando mucho de peso, es mejor que no demore consultarlo con su médico.

- Todo el peso que cargue de más en su cuerpo incide directamente en la mayoría de las molestias que tiene. Si quiere controlar los caprichos las últimas semanas para no coger más peso, no seas tú quién se los ponga a mano.

- Al parir, perderá bastantes kilos de golpe: el bebé, la placenta, líquidos, etc., pero no estará igual que antes como por arte de magia. El cuerpo no entiende de moda y guarda reservas en zonas específicas por si le hicieran falta.

¿Has pensado en la guardería?

Sí, es absurdo... Parece de locos, pero tenéis que empezar a pensar con quién estará el bebé cuando nazca y tu chica vuelva a su trabajo, estudios, proyectos, etc. El tiempo pasa veloz y si, por desgracia, no podéis atender al bebé vosotros mismos durante sus primeros años de vida, deberéis planificar quién le cuidara.

Si tenéis la suerte de que alguno de vuestros padres disponga de tiempo, energía y ganas, será genial, pues además de contar con vuestra total confianza será muy gratificante para su relación. Además, solo os tenéis que ver a vosotros mismos para saber si lo educarán bien o no.

Puede que prefiráis contratar a una niñera; en este caso empezad a preguntar entre vuestras amistades, alguien recomendado siempre da más tranquilidad. Es muy complicado dejar a un bebé en manos de un desconocido.

Tampoco sería raro que los abuelos no pudieran y que tener a alguien en casa no os resulte cómodo; si es así, deberéis llevar al bebé a una guardería. Prepárate a visitar un montón de ellas, ver sus instalaciones, si les dan de comer, entre qué horas abren, cuánto cuestan, etc. Encontrar una buena guardería no es fácil, en muchas hay que solicitar plaza hasta con más de un año de antelación. Echa cuentas, os quedan 13 semanas de embarazo, más la baja maternal, más vacaciones...

Glosario

Cordón umbilical. Es un cordón que contiene dos arterias umbilicales y una vena umbilical y sirve para unir el embrión o feto en desarrollo con la placenta. A través de él se produce el intercambio de sustancias nutritivas y sangre rica en oxígeno.

Colágeno. Proteína flexible, muy fibrosa y resistente a la tracción. Es el componente más abundante en la piel.

Semana **28**

Preparación al parto

La educación maternal

Seguro que cuando tu chica se quedó embarazada, automáticamente todo el mundo empezó a darle consejos: su madre, hermanas, amigas y demás familia. Con tanta información a su alcance, es fácil que ella se llegue a preguntar si es necesario acudir a las clases de preparación al parto. Pues la realidad es que sobre este tema parece no haber acuerdo.

Sus detractores argumentan que estos cursos hoy día sirven para poco. Que no mejoran el parto dado que repiten los mismos contenidos que hace 40 años. Frente a esta posición, sus defensores opinan que estos cursos son de vital importancia para la salud física y psicológica de las madres. Contrariamente a los resultados anteriores, estos estudios demuestran que las embarazadas que acuden a cursos de educación maternal se enfrentan con mayor tranquilidad y confianza al parto.

Lo que parece es que estas clases o cursillos, dado que no solo preparan para el parto en sí mismo, sino que también dan mucha información y resuelven dudas sobre todo el proceso de la maternidad y de **los primeros cuidados del bebé**, pueden llegar a ser muy beneficiosos para todas las futuras mamás.

Eso no es educación maternal, es una reunión de ballenas

- Intenta ir con tu chica a estas clases; no son aburridas, pues hablan de lo que más os interesa en el mundo a día de hoy. Suelen ser impartidas por matronas, por lo que también se convierten en el lugar ideal para resolver vuestras dudas. Sí, es verdad que quizás la información que os den ya la conozcáis a través de libros, etc., pero nada tiene que ver, ya que puedes interactuar con quien te proporciona la información. Vamos, es como examinarse solo con los apuntes o haber asistido a clase.

Puntos clave para su seguridad

Todavía no ha nacido y ya lo imaginamos andando y trasteando, aunque aún parece demasiado lejano. No te equivoques, no pasará mucho tiempo antes de que se pueda hacer daño por sí solo. Es imposible evitarle todos los riesgos, pero al menos los principales sí podéis. Aquí tenéis una lista.

☐ **Ángulos de mesas**

☐ **Adornos**

☐ **Escaleras**

☐ **Enchufes**

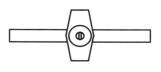
☐ **Gas**

☐ **Ventanas**

☐ **Armarios**

☐ **Electrodomésticos**

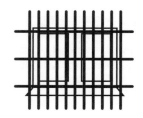
☐ **Rejas**

☐ **Cables**

☐ **Puertas**

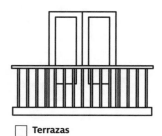
☐ **Terrazas**

Ejercicios de relajación

A menudo, en el devenir diario es complicado encontrar un momento para parar, relajarse y respirar con tranquilidad. Sin embargo, tanto para tu chica como para el bebé es muy importante poder olvidarse de los nervios, las prisas y el estrés y permitirse cada día una o varias pausas para realizar unos ejercicios de relajación.

No solo le vendrá bien para rebajar las tensiones ahora durante el embarazo, sino que conocer estas técnicas será una ayuda esencial en el control del dolor durante su parto. Es aconsejable practicar la relajación en un ambiente tranquilo y silencioso.

Una de las **técnicas de relajación** más efectivas es la respiración profunda. Es fácil de aprender, se puede practicar casi en cualquier lugar y con ella se consigue, de manera rápida, mantener los niveles de estrés bajo control. La clave para su ejecución es respirar profunda y lentamente desde el abdomen, obteniendo así más oxígeno para los pulmones que se repartirá por todas las células del cuerpo. Se inhala por la nariz, se retiene el aire, todo lo que progresivamente vaya siendo posible, y se exhala por la boca, expulsando todo aire.

- Los ejercicios de relajación mediante la respiración son ideales para practicarlos juntos. Tumbaos sobre una superficie más o menos rígida, aflojaos la ropa y descalzaos. Intenta que el ambiente sea también relajante: poca luz, música tranquila y un olor agradable. Ya estáis listos para practicar; sería estupendo que todos los días encontrarais el momento para poder hacerlo. No te duermas, a ella no le gustará, y en el fondo es lo más parecido a un momento romántico que tendréis en meses.

La casa debe ser segura

En cuanto llegue vuestro bebé a casa, una de vuestras prioridades va a ser su seguridad, y para ello vais a tener que hacer algunos cambios importantes...

Cuando el bebé comience a moverse, querrá explorar el maravilloso, fascinante y peligroso mundo que le rodea. Con un poco de cuidado podemos evitar los accidentes, así que no tenemos excusa.

Lo primero de todo es identificar los peligros según la edad del bebé. Durante los primeros meses en que el bebé apenas se mueve, con evitar las caídas desde la cama, el sofá o la hamaca será suficiente.

Poco a poco el bebé va adquiriendo la capacidad de sentarse, ejercer fuerza sobre objetos y desplazarse un poco. Aquí debemos empezar a pensar en la seguridad pasiva evitando riesgos innecesarios. Retirar los objetos pesados que pudiera tirarse encima o tapar las escaleras por las que pudiera caer será suficiente.

Cuando el bebé llegue al año, ya andará o se desplazará gateando a la velocidad de la luz y será más curioso y persistente; es la etapa más peligrosa. Llegados a este punto, es mejor que deis una vuelta por el súper y os hagáis con un montón de elementos de **seguridad pasiva**: topes para las puertas, tapas para los enchufes, cierres para los armarios, protectores para los ángulos de los muebles, etc.

Nos van a ser necesarios cuando hagamos la mudanza vertical; no te asustes, no es una mudanza en sí, simplemente tendréis que subir fuera del alcance de su mano un montón de objetos que hasta este momento no representaban un peligro para el bebé (ni el bebé para los objetos).

No esperes a que rompa ningún regalo de tu suegra y os enfadéis por algún comentario jocoso, por muy feo que fuera el regalo.

De aquí en adelante, el bebé cada vez va a ser más independiente, va a pasar de estar siempre a vuestro alrededor a circular con libertad por la casa. Ya sabéis: el silencio absoluto es una pista de que el bebé está haciendo alguna trastada.

Llega un momento en que el bebé ya es capaz de trepar, saltar y usar su inteligencia para llegar donde quiere. En esta etapa, que dura hasta los 25 años y en la que ya no podemos evitarles el peligro totalmente, es en la que cobra más importancia la educación.

Podemos proteger escaleras, ventanas, etc., pero es mucho más efectivo inculcarles lo que se puede o no se puede hacer. Acostumbrar al bebé a no asomarse a las ventanas será mucho más efectivo que si solo colocamos redes en ellas. Es una fase de repetir consignas constantemente: no estés solo en el balcón, no se sale al jardín sin papá o mamá, no subas las escaleras tú solo, no bajes las ventanas del coche, etc. El sentido común, como siempre, será nuestro mejor consejero.

- Es conveniente que coloquemos topes en los armarios para impedir que los abran; como en todo, hay que usar el sentido común. No es lo mismo cerrar un armario con ropa que el que esconde los objetos de limpieza.

- Si tu chica y tú vivís en un piso con terraza, es conveniente que pongáis una red de seguridad tanto por evitar que se precipite el bebé como por la cantidad de objetos que pueden salir despedidos.

Hablar con otras embarazadas

Hablar sobre el embarazo con otras mujeres puede ser muy positivo. Es más, muchas mujeres embarazadas afirman que les reconforta mucho conversar con otras y compartir experiencias, dudas y sensaciones; así que no te extrañe si de pronto tu chica cambia a sus amigas de siempre por otras, casualmente más barrigonas.

Sin embargo, en ocasiones, algunos de estos consejos, comentarios o historias pueden ser contraproducentes y llegar a angustiar u obsesionar a la futura madre. Que te cuenten lo terrorífica que ha sido la episiotomía en el parto de fulanita y lo mal que lo está pasando, o que se equivocaron en las pruebas de menganita y su bebé parece que no viene bien, quizá no sea un plato del mejor gusto y lo único que va a conseguir es crear mayor aprensión y miedo.

Si tu chica disfruta compartiendo con otras embarazadas, que aproveche que este momento es único en su vida. Simplemente que no olvide elegir qué consejos escuchar y cuáles ignorar para vivir su embarazo con felicidad y tranquilidad.

Estas reuniones de gordas temporales te obligarán a entablar conversación con otros sufridos futuros papás como tú. Al relacionarte, verás que a casi todos os preocupa lo mismo.

Glosario

Los primeros cuidados del bebé. Nociones básicas para superar los primeros días sin pensar que sois un desastre absoluto.

Técnicas de relajación. Hay muchas técnicas para relajarse, no a todas las personas les funciona bien la misma técnica ni en la misma medida.

Seguridad pasiva. Elementos de seguridad, como los cubreesquinas, que no necesitan de vuestra atención para ser efectivos.

Semana **29**

Células madre

El cordón umbilical puede dar vida

¿Qué hacer con el cordón?

Hace no tantos años se descubrió que el cordón umbilical, que de siempre se había desechado en el parto sin más, tiene un inmenso valor. Hoy en día existen numerosas posibilidades en torno al cordón umbilical, y quizá os hayáis preguntado qué hacer con él.

La sangre del cordón umbilical es rica en **células madre** sanguíneas o hematopoyéticas, que, trasplantadas a pacientes cuya médula ósea esté enferma, permiten obtener éxitos terapéuticos prometedores. En España, salvo en algunos hospitales en que se permite guardar la sangre del cordón umbilical para uso privado, la donación de sangre de cordón ha de ser altruista, para ser utilizada cuando haya algún enfermo compatible que la necesite. Los trasplantes de sangre de cordón umbilical están indicados en personas que padecen enfermedades graves de la sangre, como leucemias y otras patologías.

Si vuestro hospital lo permite, o buscáis a propósito uno que lo haga, podrá ser útil guardar el cordón para vuestro uso privado si en un futuro uno de vuestros hijos padeciera una enfermedad hematológica. Sabed que no todas las muestras pueden ser guardadas, ya que algunas no poseen suficientes células y otras pueden deteriorarse después de la manipulación. En general suele conservarse unos 20 años, aproximadamente.

Cualquier mujer embarazada sana con un embarazo sin riesgo y sin antecedentes de enfermedades transmisibles puede ser donante. Si optáis por esta generosa donación, sabed que no supone ningún riesgo ni para tu chica ni para el recién nacido.

El procedimiento es el siguiente: la sangre se recoge tras el nacimiento del bebé y antes de

¿Cómo es un paritorio?

Aquí puedes ver qué es lo esencial de un paritorio. A ella seguramente los nervios y el dolor no le van a dejar fijarse en casi nada, pero a ti, que no te duele más que la mano cuando ella te aprieta, te gustará saber qué son los artilugios que te rodearán.

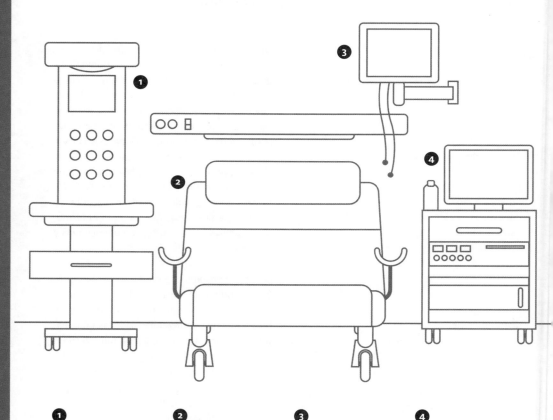

❶ Radiador

Aquí es donde ponen al bebé recién nacido para ver su estado; ayuda a mantener regulada su temperatura.

❷ Cama

Las camas son articuladas, lo que permite bajar la parte inferior y subir los estribos, y cuentan con barras para hacer fuerza contra ellas. Mejor eso a que espachurre tu mano.

❸ Monitor hemodinámico

El monitor mide el ritmo cardíaco, la presión sangínea y la saturación de oxígeno de la futura mamá para que los médicos sepan su estado.

❹ Monitor fetal

Con el mismo sistema de la monitorización que ya le han hecho a la mamá, registra el ritmo cardíaco del bebé y las contracciones de ella.

la expulsión de la placenta y la operación corre a cargo del propio equipo de la maternidad, matronas y obstetras. El cordón umbilical se desinfecta con yodo y se canaliza uno de sus vasos, dejando caer la sangre a la bolsa de recogida. Este proceso es siempre secundario al parto. Lo primero es la seguridad de la mamá y de su bebé. Además de la sangre, se corta también un fragmento de cordón umbilical de unos dos centímetros de longitud, que también servirá para el estudio posterior.

Si tu chica estuviera de acuerdo con la donación, es necesario, como en todas las donaciones, que firme previamente un consentimiento informado.

La donación del cordón es un tema relativamente reciente y en el que cada día hay más opciones; hay kits de recogida para bancos privados, existen los bancos públicos, etc. Como padres, la opción que en principio nos parece más atractiva es la de guardar el cordón en un banco privado por si tenemos más hijos a los que pudiera ser de utilidad. Cuando investigamos un poco, descubrimos que las células del cordón no tienen por qué ser compatibles con las de su hermano, por lo que la mejor opción es un banco público.

- Los bancos públicos hacen una gran labor, pues guardan las células de miles de cordones. Estos bancos se encargan de la búsqueda de donantes, las unidades de sangre de cordón y la gestión de las donaciones. Si alguna vez tuviéramos la desgracia de necesitar acudir a estos bancos, sería mucho más fácil encontrar un donante compatible si todos hubiéramos entregado generosamente el cordón. Aunque la tasa de donación aumenta cada año, nunca es suficiente.

Varices

Otra de las molestias que puede que sufra tu chica durante el embarazo –¿otra?, te preguntarás– son esas venas azuladas, hinchadas y muy molestas que conocemos como varices. El motivo, igual que con las hemorroides, edemas y calambres, son los cambios en su circulación y volumen.

Durante el embarazo los vasos sanguíneos deben transportar más sangre al útero para atender adecuadamente al bebé; para ello, y debido a las hormonas que el cuerpo segrega, las venas se vuelven más elásticas, y muchas veces aparecen las famosas «varices de embarazo». El retorno de la sangre desde las piernas hasta el corazón es más difícil. Cuanto más grande sea el bebé, más grande será el útero, lo que, sumado a la presión que este peso ejerce sobre las venas, hace que el flujo de la sangre sea más complicado. Esta dificultad y esta congestión hacen que las venas se hinchen y aparezcan las varices, normalmente primero en las piernas.

Lo mejor para prevenir las varices del embarazo es hacer un poco de ejercicio: caminar, montar en bicicleta y nadar estimulan la circulación sanguínea.

- Se puede intentar reducir las molestias con algunas acciones muy sencillas. Las medias de compresión y los zapatos con un poco de tacón (de 2 a 3 centímetros) la ayudarán; también la alternancia de frío y calor, ya que resulta beneficiosa para el flujo sanguíneo. Acabar la ducha con agua fría sobre las piernas es algo más efectivo de lo que parece. También tiene cabida el mundo de las cremas y aceites de lavanda, ciprés, milenrama... Sí, es cierto, el embarazo es el universo de la crema.

Las caídas

En probable que a medida que avanza su embarazo, tu chica se encuentre algo más torpe e inestable que de costumbre, fundamentalmente porque su centro de gravedad va cambiando conforme le aumenta la barriga y porque la elastina favorece una mayor elasticidad de sus articulaciones.

Y el miedo que invade a los futuros padres si ven que la mamá se cae es: ¿le habrá pasado algo al bebé? Parece que, en general, y salvo que la embarazada se golpee en el abdomen de forma muy violenta o se clave algún objeto punzante, pueden respirar tranquilos por el bebé y ayudar a la madre a levantarse y ver qué se puede haber lastimado ella.

El bebé está perfectamente protegido dentro de la bolsa y rodeado de líquido amniótico, que genera un efecto amortiguador sobre los golpes suaves o moderados que pueda recibir la madre en el abdomen, así que la caída debe ser realmente importante para que el bebé llegue a sufrir un daño. Además, al caer, la mamá instintivamente tiende a proteger su tripa.

En general, los tropiezos y caídas no tienen ninguna consecuencia sobre el feto; de todas maneras, si después de una caída tu chica notase un sangrado, un dolor muy agudo, pérdida de líquido amniótico o si está muy asustada por el bebé, directos al médico.

- Si nos paramos a pensar, la naturaleza es impresionante. Todo está pensado: el bebé está protegido en su bolsa de líquido, el instinto de la futura madre se desplaza de taparse la cara (lo normal) a taparse la tripa. En fin, el instinto es algo que verás que no deja de asombrarte continuamente durante el embarazo.

Visita el hospital

Quizá algo por lo que tengáis curiosidad, especialmente ella, sea por conocer antes del día del parto las instalaciones del hospital en que haya decidido dar a luz. Puede infundir cierta tranquilidad haber visto antes las salas de dilatación, el paritorio o la sala de recuperación, y que ese día no sea la primera vez.

Uno de los posibles recorridos que haréis el día del parto será el siguiente: llegaréis a urgencias y allí tendréis que rellenar toda una serie de papeles y esperar en una sala hasta que os llame un celador. De ahí se pasa a la sala en la que le realizarán una exploración, le abrirán una ficha y verán cómo se encuentran ella y, con monitores, el bebé. Si todo va bien y está comenzando la dilatación, se pasa a otra sala en la que la mujer sola o con su acompañante empezará el arduo (para algunas) trabajo de dilatar. Cuando ya vaya a llegar el momento de empujar... os trasladarán al **paritorio**. Y después, a la sala de recuperación, donde podréis estar ya con vuestro bebé.

Hay algunos hospitales que han puesto en marcha jornadas de puertas abiertas a los paritorios dirigidas a mujeres y a sus parejas para que conozcan sus instalaciones. Puede ser un buen momento para aprovechar y hacer todas las preguntas que se os ocurran.

Glosario

Células madre. Son las células que tienen la capacidad de multiplicarse y convertirse en distintos tipos de células especializadas. Las células madre hematopoyéticas que se encuentran en el cordón umbilical son capaces de dividirse en más de un tipo de célula especializada.

Paritorio. Es la sala reservada en los hospitales para el proceso de expulsión del feto dentro de los partos. Aquí será donde, si tu chica tiene un parto vaginal, veréis al bebé por primera vez.

Semana **30**

Durmiendo acompañada

El bebé es Maradona

En la recta final de su embarazo –ya estamos en la semana treinta– tu chica empezará a sentir más intensamente los movimientos del bebé. La futura Maradona o el futuro karate-ka cada vez tiene menos espacio y las patadas, codazos y puñetazos que dará al cambiar de postura se sentirán más bruscamente. El pobre empieza a estar cansado de las estrecheces, y debido a su tamaño sus movimientos son ya muy notorios.

Solo faltan diez semanas para la fecha del parto, pero en el cuerpo de la madre aún se siguen produciendo cambios muy importantes. Su útero mide unos 30 cm, su abdomen va creciendo cada semana y las caderas y la pelvis se van moldeando para hacerle espacio al feto.

Durante estas semanas es cuando vuestro bebé empieza a colocarse en la posición definitiva que tendrá al nacer; de ahí los intensos y continuos movimientos y golpes que sentirá la mamá. En la mayoría de los casos es cabeza abajo, pero algunos bebés se posicionan de nalgas o atravesados.

Realmente, estas patadas pueden llegar a ser muy incómodas, sobre todo aquellas próximas a las costillas o las que van directas al **diafragma**, pero a la mamá suele compensarle por la ilusión de saber que cada día está más grande y fuerte el bebé que lleva dentro...

Ni la veo con tanta almohada ni puedo dormir

- Si te sitúas junto a tu chica y tocas su panza mientras el bebé se mueve, puede que lo notes y se te caiga la baba directamente. Si el bebé se agita mucho, también puede que tengas la fortuna de ver cómo se mueve la tripa. Menos mal que la ilusión compensa, pues esto recuerda a *Alien, el octavo pasajero*.

La bolsa para el hospital

No está mal que la vayáis preparando; nos acercamos al final del embarazo, y aunque aún queda mucho, nada nos cuesta tenerla preparada. Aquí tienes una lista de lo que debéis meter en ella; solo tenéis que adaptarla a vuestro gusto e ir tachando cosas según las coloquéis.

Ella

- **Camisones abiertos**
  Para facilitar dar el pecho.
- **Zapatillas**
  Tu chica tendrá que levantarse después de unas horas.
- **Chaqueta**
  Habrá perdido sangre y estará cansada, por lo que es fácil que tenga frío.
- **Ropa interior desechable**
  Lo más normal es que se manche mucho; desechable no significa de plástico, sino que será preferible tirarlas después de su uso.
- **Sujetadores premamá**
  Se va a tirar una semana con los pechos fuera; así es más cómodo.
- **Empapadores para los pechos**
  Puede que los pezones parezcan un grifo roto.
- **Neceser**
  Cepillo de dientes, gomas para el pelo, peine, etc.
- **Ropa para volver a casa**
  Como la que usaba en la mitad del embarazo.

El bebé

- **Bodis**
  Ropa sencilla y no muy abrigada, ya suele hacer calor en los hospitales.

- **Guantes, gorrito y patucos**
  El bebé tendrá las uñas tan finas que puede arañarse la cara fácilmente. Además es recomendable que mantenga el calor en cabeza y pies.
- **Manta para volver a casa**
  Será la primera vez que salga a la calle, así que mejor que vaya calentito.
- **Neceser**
  Crema hidratante, cepillito...

Tú

- **Una camisa y el cepillo de dientes**
  Puede que el tiempo antes de que puedas a ir a casa, aunque sea a ducharte, supere fácilmente las 48 horas.

- **Monedas, muchas monedas**
  El parking, la máquina del café, el sándwich de las tres de la mañana, bajar a la cafetería con las visitas.

- **Formularios, etc.**
  Dependiendo de donde sea el parto, necesitarás más o menos papeles, formularios, plan de parto, etc.

- **Teléfonos y cargadores**
  Ahora llevamos media vida en los móviles, desde la cámara de fotos hasta la agenda, pasando por los juegos para la sala de espera, casi lo más importante. Ah, recuerda que un teléfono sin carga no sirve, y será muy fácil quedarte sin batería.

- **Tableta con contenidos**
  En vez del típico libro o las socorridas revistas de farándula para las horas muertas del hospital. Una tableta te permite llevar lectura, vídeo, etc., todo en poco espacio. Descarga los contenidos con anterioridad, puede que el hospital no tenga wifi. Y recuerda el cargador.

Su pelvis

El dolor de pelvis es muy común a partir de la semana 28 en el primer embarazo, y antes si se han tenido más hijos; así que si a tu chica comienza a dolerle la pelvis... no le queda otra que tener mucha paciencia y tranquilidad e intentar evitar que el dolor pase a mayores. En general, este dolor irá asociado a los movimientos de ponerse de pie, agacharse y subir escaleras, y a veces le resultará molesto incluso al caminar.

La pelvis es algo así como un anillo formado por tres huesos que están conectados entre sí por articulaciones y ligamentos, y en la mujer embarazada ha de reunir dos cualidades básicas: ser suficientemente resistente como para aguantar su esqueleto y suficientemente flexible como para dejar pasar al bebé en el parto. Las dos mitades de la pelvis están conectadas por delante a través de una articulación rígida llamada «sínfisis púbica».

Cuando se produce dolor de pelvis durante el embarazo, se dice que hay una disfunción de la sínfisis púbica. El dolor puede producirse en la zona púbica, las ingles, las caderas o la parte inferior de la espalda. Suele aumentar durante la noche hasta el punto de impedirle dormir.

- Aquí tenéis algunos consejos para aliviarlo:
  - Moverse poco pero frecuentemente.
  - Descansar apoyando bien la espalda.
  - No levantar ni empujar cosas pesadas.
  - Evitar abrir mucho las piernas.
  - Evitar permanecer mucho tiempo de pie.
  - Usar calzado cómodo y con poco tacón.
  - No transportar mucho peso y procurar que este esté siempre equilibrado.

Y mucho mejor si llevas tú las bolsas.

Aquí no hay quien duerma

Muchas veces la etapa final del embarazo está marcada por un desagradable insomnio y se agudizan tremendamente los problemas para dormir.

El bebé ocupa ahora casi toda la capacidad abdominal de tu chica, comprimiéndole el esófago, el estómago y la pelvis, lo que le dificulta la respiración y le hará levantarse varias veces por la noche al baño a vaciar su vejiga. Esto, acompañado de las molestias lumbares, los calambres en las piernas y la preocupación y nervios ante el cada vez más cercano parto que le provocarán pesadillas recurrentes, van a ponérselo difícil.

Dormir con facilidad y no despertarse por la noche es el deseo de cualquiera, pero ante este panorama, y salvo raras excepciones, las futuras mamás lo tienen realmente complicado.

La postura más aconsejada para dormir bien, o al menos dormir algo, sería la siguiente: sobre el lado izquierdo, con una almohada entre las piernas, con los pies elevados y con el tronco también un poco elevado. No va a ser fácil conseguir que duerma, aunque habrá que ayudarla lo que podamos.

- Puede que necesite para dormir unas cuantas almohadas, e incluso que la ayudes a colocarlas. Esta para el cuello, esta en las lumbares, esta entre las piernas, etc. Lo que está claro es que no necesita que duermas con ella, de modo que si está más cómoda durmiendo sola, ya sabes lo que toca.

- El insomnio de la embarazada no afecta al feto, ya que este tiene su propio ritmo de sueño y vigilia. Pero, eso sí, ella estará destrozada.

Lavar la ropa del bebé

Otra de las cosas que habréis de tener en cuenta y que quizá ni se os habían pasado por la cabeza es que durante sus primeros meses de vida tendréis que tener especial cuidado con la colada de la ropa de vuestro bebé. Debido a la delicadeza extrema de su piel, el contacto con los componentes químicos de los productos de limpieza, que para un adulto son completamente inofensivos, puede resultarle agresivo y provocarle **alergias** e irritaciones.

Es recomendable, por un lado, lavar toda la ropa, la de vestir y la de cuna, antes de utilizarla, pues la manipulación durante su confección y comercialización puede llegar a ser muy intensa y acumular muchos microbios por el camino.

Por otro lado, y hasta que el bebé tenga al menos seis meses, lo suyo es lavar su ropa (en sentido extenso) de manera exclusiva, es decir, separada de la del resto de la familia. Se deben elegir detergentes especiales para bebé que hayan sido probados dermatológicamente y no utilizar blanqueadores, lejías ni suavizantes. Además, es muy importante enjuagar y aclarar siempre muy bien todas las prendas para aseguraros de que toda la ropa queda libre de cualquier residuo de jabón.

- Piensa que su piel es nueva, de manera que, además de los componentes químicos que contienen los detergentes, huye del sol como si fuera un vampiro. Incorpora todo tipo de gorros, sombrillas, etc., a su armario.

- El armario del bebé se acabará pareciendo al de su madre, será enorme. Tendrá tal cantidad de ropa y de tal variedad de tallas que te recomendamos no intentar controlarlo. Lo que para ella es normal para ti sería un reto.

¿Qué hacemos con su piel?

Ya sabemos que el embarazo es un estado en que la fluctuación de las hormonas provoca cambios bruscos emocionales, inmunológicos y bioquímicos, que por lo general desaparecen de manera natural después del parto. Uno de los órganos que más modificaciones va a sufrir es la piel, y será importante que tu chica pueda discriminar lo que son las afecciones fisiológicas propias de la gestación de lo que pueda ser una patología.

En general, es muy probable que le aparezcan manchas en la piel, estrías y ronchas, que sufra picores y perciba un aumento del vello corporal; vamos, una suerte.

Aunque para algunas embarazadas durante este período la piel pasa por uno de los mejores momentos de su vida (mayor luminosidad, ausencia de acné...), la realidad es que otras muchas sufren cambios algo menos agradables pero que, en última instancia (al fin y al cabo, lo más importante), no afectan a su salud.

No está de más recordarle a la futura mamá que es muy importante que extreme la limpieza de su piel, que beba al menos un litro y medio de agua al día y que no olvide utilizar cremas solares de máxima protección.

Glosario

Diafragma. Es el tejido musculotendinoso que separa la cavidad torácica de la cavidad abdominal. Si lo patean desde dentro, puede ser muy molesto.

Alergias. En los últimos años las alergias se han multiplicado debido a nuestro estilo de vida y a lo poco que respetamos el medio ambiente. La alergia más habitual que puede desarrollar un bebé suele ser a las proteínas de la leche, si bien es cierto que hay componentes químicos como los de detergentes que le pueden provocar reacción. En este caso deberéis usar productos hipoalergénicos.

Semana **31**

Respira, respira

Eso no es respirar, a eso se le llama roncar

Controlando el peso

Aunque ella lleve todo el embarazo atenta a su nutrición y evitando ganar kilos de más, ahora que se acerca el final del embarazo es indispensable que no baje la guardia, ya que en esta etapa es cuando más difícil resulta controlar el aumento de peso. No tiene por qué tener mayor dificultad si sigue manteniendo estas cuatro pautas: beber mucho líquido, evitar las grasas y la comida basura, rebajar la sal en las comidas y practicar algo de ejercicio a diario. En general, durante esta última etapa tu chica ganará en torno a medio kilo por semana, aunque cada embarazo es diferente.

Por regla general, el aumento de peso ideal dentro de unos parámetros **fisonómicos** medios se sitúa entre los 9 y los 12 kilos; esto asegura un crecimiento adecuado y suficiente del bebé sin que la madre gane excesivo peso, lo que dificultaría tanto el parto como el postparto y su recuperación.

Este aumento de peso es obvio que no es solo por el cuerpo del bebé, que al nacer suele pesar entre 2,800 y 3,500 kg de media... También tenemos que contar con el peso del líquido amniótico, de la placenta, del útero y del líquido que retiene el cuerpo.

- La ganancia de peso no se reparte de igual manera a lo largo del embarazo. Es habitual que durante el primer trimestre se engorde mucho menos y en el último muchísimo más; así que si ha conseguido no ganar peso de más durante la primera etapa, llegará con cierta ventaja a esta última.

- Nada de dietas a estas alturas, pues es importante que al feto no le falten nutrientes; ya perderá esos kilos después.

Ideas para una baja

La baja maternal es para cuidar al bebé, pero es evidente que una persona activa no puede de repente parar todas sus actividades de golpe. Esto solo contribuiría a la temida depresión postparto, por lo que es mejor que alterne la crianza con alguna actividad. Aquí tenéis algunas sugerencias.

1
Ir al gimnasio una hora al día

2
Hacer algún curso con pocas horas lectivas

3
Empezar a escribir ese libro del que tanto habla

4
Recibir clases de masajes para el bebé

5
De visitas diversas con el bebé

6
Paseos con la cámara fotográfica al cuello

7
Volver a ir al cine o al teatro

8
Practicar natación o volver a la bici

9
Participar en alguna asociación de su interés

10
Volver a estudiar; ojo, con tranquilidad

Aprendiendo a respirar

Una de las mayores ayudas con las que contará tu chica durante el parto será saber hacer una buena respiración profunda. No solo le facilitará la relajación, sino que oxigenará mejor todo su cuerpo y de veras podrá aliviarle el dolor.

Los factores que rodean el momento del parto: el miedo al dolor, un entorno desconocido, quizá frío, ruido... ralentizan la liberación de oxitocina, la hormona necesaria para las contracciones, por lo que conseguir respirar bien y encontrar un punto de relajación y control le facilitarán mucho las cosas.

Pautas para una respiración profunda:
La exhalación ha de durar lo mismo que la inspiración y ha de hacerse con la misma profundidad y parsimonia. Hacer una breve pausa antes de volver a inspirar. Conforme se vaya repitiendo el proceso, procurar dar más tiempo a todo, a los momentos en que se coge y suelta el aire y a los momentos de pausa con los pulmones llenos de aire y cuando están vacíos. Para ayudarse, se puede contar durante la respiración. La exhalación ha de ser tan larga como la inspiración. Hay que inspirar por la nariz y exhalar por la boca. También puede ser útil y liberador soltar algo de voz al exhalar.

• Durante el parto, la respiración puede ser de gran ayuda. Se lo han contado, lo ha visto en las películas, lo ha leído, lo habéis practicado y en las clases de preparación al parto lo volvieron a explicar, pero cuando llegue el momento de nada servirá. Demasiados nervios para recordar gran cosa. La matrona le irá diciendo exactamente lo que debe hacer, cuándo respirar de una forma, de otra, empujar, etc. Depende de lo que le duela, te mirará mejor o peor; no importa: sabes bien tu papel.

¿Qué va a hacer en su baja?

Algunos y algunas incautas piensan que durante los meses de baja maternal, las recién mamás se pasan el día recostadas en el sofá felizmente atontadas mirando a su pequeño bebé. Pero precisamente estas 16 semanas de baja serán para ella un tiempo de sumo trabajo y esfuerzo, fundamentalmente de adaptación y aprendizaje, pues su vida acaba de cambiar radicalmente: ahora hay un ser indefenso que depende de ella para todo.

Si estaba acostumbrada a ir a la oficina, quedar por las tardes con amigos, dedicarse a su afición favorita, improvisar..., ahora se encontrará con horas y horas por delante, generalmente sola en casa, con un pequeño ser hiperfrágil con quien no puede interactuar como un adulto, y puede que las paredes y la soledad se le caigan encima.

Por otra parte, también tendrá que pensar cómo organizar su baja laboral. ¿Podrá juntar los días de lactancia y vacaciones? ¿Cuándo pedirá el papá el permiso de paternidad? Juntos tendréis que revisar cuáles son vuestras posibilidades, qué dice la ley al respecto y cómo os apetece vivir estos primeros momentos.

• Si tu chica es una persona muy sociable acostumbrada a las actividades fuera del hogar, de alguna manera, y al menos en parte, debe mantenerlas. Los cambios bruscos, unidos a la ansiedad por la falta de tiempo en todos los aspectos salvo para el bebé, pueden desembocar en una pequeña depresión. Ayúdala, saca tiempo de tu agenda y quédate con él algunas tardes para que ella pueda hacer algunas actividades al margen de la crianza del bebé, te lo agradecerá.

Los sueños

Dicen que durante la gestación los sueños de las embarazadas tienden a ser mucho más frecuentes y extraños, convirtiéndose incluso en pesadillas que pueden llegar a preocupar a las futuras mamás: sueños sobre la salud del bebé, el parto o lo que se le avecina...

En el cuerpo de la futura mamá se han ido sucediendo unos cambios asombrosos, no solo físicos, sino también psicológicos; y no resulta extraño pensar que pueda verse afectada también la temática de sus sueños. Ahora estos estarán relacionados con las inquietudes propias del proceso que está viviendo, a veces de forma más clara y explícita (parir a un bebé con tres cabezas) y otras mediante elementos simbólicos. Quizá ella te comente que tiene sueños recurrentes con bebés o niños (obvio), con catástrofes naturales (se asocia a una sensación de desamparo y miedo a perder al bebé), animales a los que acaricia (relacionado con el deseo de dar cariño), agua (se relaciona con sexualidad) o plantas y vegetación (fertilidad).

Y cuando el parto ya sea inminente, será inevitable que sueñe con él. Freud decía que los sueños son una expresión de nuestros temores o de nuestros deseos...

- La interpretación de los sueños es un tema que ha preocupado a los seres humanos desde el comienzo de los tiempos. Si le interesa este tema, hay un montón de bibliografía disponible: acércate con ella a la biblioteca y escoge algunos títulos.

- Si los sueños se convierten en pesadillas recurrentes, solo puedes ayudarla estando a su lado y tranquilizándola. El bebé estará bien y sus miedos son completamente normales.

El pediatra

Parece que según nos acercamos al parto y al final del embarazo, se acaba esta época en la que vemos más al médico que a la familia. Pero no, más que el fin de una época se avecina el principio de otra en la que también abundan las batas blancas.

No queda nada para que tengáis al bebé en vuestras manos, y aunque ahora tu preocupación máxima es tu media naranja, no debes dejar de lado buscar un buen pediatra.

Dependiendo de que prefieras un médico del sistema público o uno privado, tendrás que hacer distintos trámites. Los pediatras del sistema público suelen ser muy buenos, pero es cierto que no siempre tienen mucho tiempo para atender a cada bebé o que por su horario sea difícil que él haga el seguimiento.

Si decides que el seguimiento lo haga un pediatra privado, te recomendamos que te informes bien sobre si trabaja con vuestro seguro, si tenéis que hacer un seguro nuevo, si es un pediatra tradicional y conservador o es otro más progresista e innovador.

Si el pediatra es bueno, seguro que tendrá muchos pacientes, por lo que las ventajas de los pediatras privados como concertar cita de manera casi inmediata desaparecerán. Piénsalo.

Glosario

Fisonómicos. Parámetros referentes a la fisonomía, el aspecto exterior del cuerpo humano.

Oxitocina. Hormona relacionada con la conducta maternal que actúa como neurotransmisor en el cerebro. La oxitocina endógena se libera en gran cantidad tras la distensión del cérvix uterino y la vagina durante el parto, facilitando en gran medida el trabajo de expulsión del bebé.

Semana **32**

El tapón

Se acerca el final

¡El embarazo está culminando su desarrollo! Cuando llegue a la semana 32, empezará a existir riesgo de parto prematuro, por lo que tendrá que estar muy atenta a sus contracciones. Generalmente empezará a notar las contracciones de Braxton Hicks, es decir, las llamadas «falsas contracciones» que preparan al cuerpo para el parto; pero si llega a sentir cinco contracciones en menos de una hora tendrá que ir al médico, pues podría ser un síntoma de adelantamiento del parto.

En la semana 32 de embarazo puede que se queje de molestias y dolores en la espalda, especialmente en las lumbares y en las caderas. También puede que se canse más de lo habitual al caminar o moverse durante un determinado período de tiempo. Esto puede deberse a que el tamaño de su útero esté presionando algunos nervios, lo que afectará directamente a su musculatura; también este volumen desplazará los pulmones hacia arriba, lo que reducirá su capacidad pulmonar, y no olvidemos que su cuerpo está movilizando casi un 50% más de sangre.

Su pecho y su útero están preparándose para el gran acontecimiento. El útero empieza a entrenarse con el simulacro de lo que serán las contracciones del parto, y el pecho ya ha empezado a producir el calostro, que alimentará al bebé en sus primeros días de vida.

El feto pesa entre 1,8 y 2 kilos aproximadamente, y mide entre 36 y 44 centímetros. Está prácticamente formado, y podría decirse que tiene ya la misma apariencia que tendrá al nacer. Le conviene aún crecer y ganar un poco más de peso, cosa que hará en estas pocas semanas que os quedan a los dos antes de ver esa cara que ya lleváis imaginando unos meses.

Nuevo vocabulario

Desde hace ya algunos meses manejáis mucho vocabulario nuevo, pero esto no es nada comparado con lo que se avecina. Vete acostumbrando a manejarlo con soltura, pues hay palabras que se van a meter en tu vida, sí o sí. Aquí tienes algunos ejemplos.

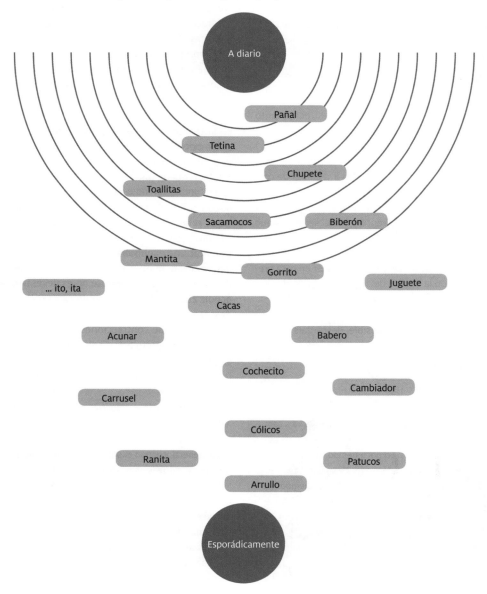

Su cerebro habrá alcanzado un gran desarrollo, tanto que hoy día se reconocen pocas diferencias entre el cerebro del feto de 32 semanas y el cerebro del recién nacido. Parece incluso que a partir de la semana 32 el bebé dentro del útero puede pensar y formar su primer recuerdo.

Debido a su tamaño, que ya ocupa casi todo el útero de su madre, le resultará más difícil moverse, por lo que su mamá notará muchos movimientos. No es como antes, cuando el feto flotaba tranquilamente en la panza de su mamá; ahora está cada vez más estrecho, tanto que a veces puede hacerle daño, por ejemplo, dándole patadas en las costillas.

Si tu chica ha comenzado a ir a clases de preparación al parto, ya estará aprendiendo ejercicios de respiración y de relajación, lo que le ayudará a hacer frente a estas semanas que le quedan por delante. Aunque estas semanas deberían ser más relajadas esperando el momento, hay tantas cosas que hacer en casa preparando la llegada del bebé que suelen resultar muy ajetreadas.

En la medida de lo posible, descárgala de todo lo que puedas: gestiones, compras, decisiones... Debe estar tranquila.

El tapón mucoso

El llamado «tapón mucoso» es una sustancia viscosa que, durante el embarazo, el cuerpo de la mujer secreta en el canal cervical con el fin de mantener sellado el cuello del útero y que constituye una barrera físico-química e inmunológica que actúa como protectora del feto. Está compuesto en un 90% por agua y el resto son unas glucoproteínas que le confieren su consistencia mucosa característica.

En el **embarazo a término**, la expulsión del tapón mucoso es un indicativo de que el parto está cerca, pero no es el desencadenante de él ni tampoco es un síntoma de que este ha empezado. De hecho, hay mujeres que no se dan cuenta de la pérdida del tapón mucoso y que lo confunden con flujo vaginal.

Tener relaciones sexuales o un tacto vaginal también podrían afectar al tapón mucoso y provocar una expulsión de flujo, incluso aunque el parto no vaya a empezar en los próximos días. Por ello, realmente no es necesario acudir al hospital cuando se produce solo el desprendimiento del tapón, a no ser que vaya acompañado de contracciones rítmicas o se haya roto aguas, es decir, de alguno más de los síntomas de comienzo del parto.

- Todavía quedan dos meses; parece mucho tiempo, pero no lo es. Piensa que os va a cambiar la vida en un momento para el resto de vuestros días. En poco tiempo vais a tener un bebé que va a depender de vosotros para absolutamente todo durante mucho tiempo. Los humanos somos una de las especies del planeta cuyas crías dependen para más cosas y durante más tiempo de sus padres. Estaría bien que no dejarais algunas decisiones para más adelante, pues puede ser mañana.

- Con este nombre, es normal imaginarse que un día va a salir despedido y que incluso sonará como el champán, pero no, no es así. Por lo general, cuando expulsa el tapón, la mujer nota que derrama una cantidad de flujo mucoso y viscoso. Este es espeso y puede ser desde transparente hasta marrón pasando por amarillento. Ojo, puede que el tapón no se expulse de una vez, sino que se vaya expulsando poco a poco. De todas maneras, si notara algo raro, lo mejor sería acudir al médico.

Camino al hospital

Ahora que se acerca el parto, seguro que ambos ya habéis planificado mentalmente cómo será el momento en que salgáis corriendo al hospital.

Hacer una simulación del recorrido no solo os dará mayor seguridad y sensación de control, sino que os permitirá indagar caminos alternativos por si ese día hubiera algún evento en la ciudad y, de pronto, os encontraseis con alguna calle cortada... No debe de ser nada agradable ponerse a pensar en rutas óptimas frente a la avalancha de hinchas de un equipo de fútbol o las pancartas de un grupo de mineros reivindicativos en esos momentos en que probablemente estéis más nerviosos que de costumbre.

Quizá terminéis haciendo el recorrido más veces de las que imaginabais. Es frecuente que el miedo a no reconocer el inicio del parto provoque falsas alarmas, y muchas veces se termina yendo al hospital antes de que haya comenzado realmente. Para ahorraros esos sustos, es bueno que tengáis en cuenta que, en la mayoría de los casos, el parto se anuncia con señales muy claras: las contracciones se vuelven muy regulares, se rompe aguas y se expulsa el tapón mucoso.

- En una pareja primeriza es normal no reconocer claramente el principio del parto y tener que ir varias veces al hospital. Aunque sí lo reconocierais, es habitual que el parto dure entre seis y ocho horas, por lo que debéis ir lo más tranquilos posible.

- Se puede poner de parto en cualquier momento, así que sería conveniente que tuvierais pensado qué vais a hacer si no te pilla junto a ella, si iría con una amiga, su padre, etc.

El calcio en el embarazo

A partir de la semana 32 de gestación, el crecimiento del feto es máximo: se refuerzan sus huesos y comienza la formación de los dientes, y una parte fundamental de los nutrientes necesarios para ello la aporta el **calcio**.

El calcio es un mineral fundamental para el correcto funcionamiento de los sistemas circulatorio, nervioso y muscular. En general, es fácil de obtener directamente de los alimentos que se ingieren, por lo que si tu chica sigue una dieta rica en calcio, no tendrá por qué tomar ningún suplemento.

Bastará con que aumente ligeramente el consumo de lácteos como la leche, el queso o el yogur e incorpore en su dieta las sardinas, avellanas, almendras, nueces... Y que no olvide el repollo, las acelgas y la soja, grandes desconocidos en cuya composición puede llegar a concentrarse más calcio que en los propios lácteos.

Esto es muy sencillo: el feto necesita calcio y lo va a tomar de su madre. Si ella no compensa lo que entrega, acabará con déficit.

Glosario

Embarazo a término. Un embarazo se considera a término si acaba a las 40 semanas o en el rango que va desde la semana 37 hasta la semana 42. Un feto anterior a la semana 37, aunque esté ya perfectamente formado, se considera prematuro.

Calcio. El calcio es un elemento químico presente en innumerables especies animales. En los humanos el calcio desempeña muchas funciones, desde mediador entre células hasta ser el material más importante en nuestros huesos. El calcio se almacena, entre otros lugares, en la cabeza de nuestros huesos largos y desde ahí nos provee de la cantidad que necesitemos tanto para el crecimiento como para el embarazo o la lactancia.

Semana **33**

¿Estará colocado?

¿Pero cómo no va a venir de culo con esta crisis?

Parto prematuro

Cualquier mujer embarazada es susceptible de tener un parto prematuro, esto es, que el nacimiento se produzca antes de las 37 semanas de gestación, aunque en la mayoría de los casos está asociado a algún factor de riesgo.

Como decimos, en general el parto prematuro se asocia a determinados factores de riesgo de la madre embarazada. Si tu chica entra dentro de este grupo de riesgo, sencillamente tendrá que extremar la precaución y la atención a partir de estas semanas porque podría ser que vuestro bebé se adelantase a la hora de venir al mundo.

Los factores de riesgo más importantes son:
- Edad inferior a 17 años o superior a 35.
- Haber ganado excesivo o insuficiente peso durante el embarazo.
- Haber tenido una nutrición insuficiente.
- Haber consumido tabaco durante el embarazo (incrementa en torno al 25% las posibilidades de un parto prematuro) u otros fármacos o drogas.
- Antecedentes de partos prematuros.
- Un embarazo múltiple.
- Haber sufrido alguna infección o un alto nivel de estrés durante el embarazo.

- Los síntomas del parto prematuro son los mismos que los de un parto normal. Sencillamente habrá que poner, si cabe, más cuidado y estar más preparada sobre todo para atender a la problemática que pueda asociarse al factor de riesgo en concreto.

- Según la Organización Mundial de la Salud, la incidencia de partos prematuros se acerca al 10% del total de nacimientos; entre los partos múltiples, casi llega al 50%.

¿Le compramos un chupete?

Aunque nadie te dirá que es necesario, lo cierto es que al principio es de mucha utilidad. Aquí podrás aprender un poco sobre el proceloso mundo de los chupetes, si es bueno, si es malo, cómo usarlo y cómo quitarlo.

¿PARA QUÉ SIRVE EL CHUPETE?

El chupete sirve principalmente para calmar al bebé. Los niños durante sus primeros meses conocen el mundo por la boca, es su manera de aprender. La necesidad de succionar es fuerte, y rápidamente aprenderá cómo se usa el chupete.

Aunque no son recomendables antes del mes, los padres solemos dárselo al bebé en las primeras horas de vida.

El bebé acaba de nacer, y entre el hambre, el frío y el miedo es fácil que esté nervioso y empiece a llorar. ¿Y qué hacemos los padres si no conseguimos calmar a un bebé recién nacido?: pues probar de todo, y una de esas cosas, quizás la más normal, es el chupete. También le podemos cantar para tranquilizarle, aunque puede que pongamos nerviosos a los adultos.

Como el chupete parece mágico porque le calma, seguimos usándolo siempre que el bebé no está perfectamente. Que tiene hambre, pues chupete, que tiene un cólico del lactante, pues chupete, etc.

No siempre lo hacemos bien; de hecho, no debemos ponerle chupete si sufre un cólico pues tragará más aire, lo que no le ayudará.

¿POR QUÉ NO ES BUENO EL CHUPETE?

- Antes del mes un bebé no debe usar chupete porque es más fácil que se atragante con cualquier pequeño vómito que tenga.
- Los chupetes hacen que el bebé trague aire, lo que empeora los cólicos.
- El uso continuado de chupete puede causar problemas dentales en el bebé.

Si el bebé lleva chupete, se recomienda mantener una higiene estricta con él, dárselo sólo en momentos puntuales, como cuando se va a dormir o un rato antes de comer, y quitárselo justo después.

El chupete debería desaparecer de la vida del bebé antes del año, pues ya no cumple su función, y el bebé ya solo lo usa para jugar.

¿ES TAN MALO EL CHUPETE?

Pues no, la verdad es que no es recomendable pero tampoco es nocivo. El bebé tiene un instinto de succión que si no satisface con el chupete lo satisfará con su dedo. El problema es que si se mantiene mucho en el tiempo, crea un hábito que costará desterrar cuando ya empiece a ser un problema mayor por la dentadura. No es sencillo quitarle un chupete a un bebé de dos años.

¿Se habrá colocado?

Durante los dos primeros trimestres del embarazo la colocación del bebé dentro del útero es muy variable, y es en este último trimestre cuando, generalmente, modifica su postura y tiende a prepararse para el parto. Hay diferentes posiciones que puede ir adoptando vuestro bebé, y es bueno que las conozcáis para saber cómo puede influir cada una de ellas en el parto.

La posición cefálica, o sea, cabeza abajo, es la posición natural que adopta el 95% de los bebés para nacer. El feto suele adoptar esta postura de forma natural al balancearse hacia abajo, entre otras razones por el mayor peso de su cabeza respecto del resto de su cuerpo. Si presenta en primer lugar la **coronilla**, cuyo diámetro es lo más reducido de su cráneo, facilitará enormemente el trabajo de expulsión de la madre. Este parto, salvo raras excepciones, suele desarrollarse por vía vaginal.

Hay una variante de esta postura en la que el bebé, a pesar de estar cabeza abajo, no pega bien la barbilla al tórax, lo que dificulta su salida. En estos casos el parto puede desarrollarse por vía vaginal, pero será más lento debido a que el cráneo presiona sobre el **hueso sacro**

de la madre provocándole un tremendo dolor de espalda. Otra variante de la posición cefálica es cuando el bebé viene de cara o frente. Aunque el feto está boca abajo, en lugar de la coronilla, son la cara o la frente las que asoman por el canal del parto. En este caso el diámetro de su cabeza suele ser demasiado grande para atravesar los huesos de la pelvis y la opción suele ser la cesárea.

La posición podálica o de nalgas es, tras la posición cefálica, la más frecuente. En este caso, las nalgas, los pies o ambos a la vez asoman por el canal del parto. En la mayoría de estos casos se opta por la cesárea, aunque en algunos casos se puede parir por vía vaginal.

La última de las posibilidades posturales del feto es la posición transversal. El bebé está tumbado horizontalmente o cruzado. Dado que la expulsión por vía vaginal se hace prácticamente imposible, se suele recurrir a la cesárea. De todas maneras, a menudo en el momento de empezar las contracciones los bebés que están en posición atravesada se giran y colocan en posición cefálica, por lo que es preferible esperar hasta el último momento antes de determinar si es imprescindible la cesárea.

- Ya hemos visto que hay un montón de variables que influyen en el parto. Evidentemente hemos de planificar todo como si fuera a ser un parto normal, pero siempre tenemos que contar con cambios de última hora. Puede que vuestro bebé esté en posición cefálica dispuesto a salir y los últimos controles lo hayan confirmado. Sin embargo, a la hora del parto decide darse la vuelta y lo que era un parto vaginal se puede convertir perfectamente en una cesárea de urgencia.

- Cuando el bebé viene de nalgas, hay una opción llamada «versión externa» que consiste en una serie de maniobras encaminadas a estimular al bebé para que cambie su postura dentro del útero y se gire. Consiste en masajes y presiones controladas sobre el abdomen de la madre. No es algo milagroso, pero se estima que casi el 50% de los bebés cambian su posición colocándose cabeza abajo. El bebé ya tiene sensibilidad, y si le empezamos a molestar es posible que reaccione.

Ella y su tripa

¿Cómo es la tripa de tu chica? El tamaño y la forma de la tripa de una mujer dependen de muchos factores, y has de saber que no hay dos barrigas iguales. Si además la mujer está embarazada, varía aún más.

Aunque todas llevan lo mismo en su interior, las barrigas de las embarazadas tienen formas y tamaños muy diversos. Incluso la misma mujer en sucesivos embarazos o en distintas etapas de la misma gestación puede tener una tripa diferente. Ya hemos visto en repetidas ocasiones que hay un montón de aspectos que varían muchísimo de un embarazo a otro, incluso en la misma mujer.

En general, todas se desarrollan de la misma manera: la tripa empieza a crecer por debajo del **ombligo** y va ascendiendo progresivamente hacia los pechos. En el primer trimestre casi no aumenta de volumen. Entre el cuarto y el quinto mes las caderas se redondean y la cintura parece que desaparece. En el sexto mes, cuando ya el bebé duplica su peso, el vientre empieza a crecer por encima del ombligo. En el séptimo la barriga ya tiene una forma voluminosa y en el octavo alcanza su máxima expresión. Generalmente, a partir de la semana 36, el feto desciende hacia el interior de la pelvis y la tripa baja un poco. De hecho cuando vemos a una mujer con una tripa tremenda y pensamos que no va a pasar de hoy sin parir solemos equivocarnos, pues por lo general se tratará de una embarazada en su octavo mes a la que todavía le queda el último empujón.

Hay mucho de mito en cuanto a la interpretación o explicación de las diferentes formas de la barriga de una futura mamá, aunque fundamentalmente podemos hablar de las características físicas de la madre como condicionantes de las distintas formas. Entre los principales factores que influyen en la forma de la tripa durante el embarazo podemos mencionar la relación de tamaño y estatura entre madre e hijo; la obesidad o no previa de la madre; si es un embarazo único o múltiple; la postura que suela adoptar la gestante; su condición física y musculatura previas; el número de embarazos que haya tenido; la posición del futuro bebé; la cantidad de líquido amniótico, y el tamaño del feto.

Como quiera que sea la barriga, seguro que ambos la veis bonita y no dejáis de sorprenderos del milagro que parece tener un bebé.

- Si te dejas llevar por los dichos populares sobre la forma de la barriga de una embarazada, puedes saber su sexo, si va a estar sano, si va a ser listo... No haría falta ni que naciera y ya sabríamos que va a estudiar ingeniería de caminos. Por pura diversión podéis apuntar lo que os dice cada persona sobre cuál será el sexo del bebé según la forma de su barriga. Os sorprenderá la cantidad de personas que aciertan, aunque si pensamos que tienen el 50% de posibilidades, todo es más relativo.

Glosario

Coronilla. Es la parte superior trasera de la cabeza humana. Si el bebé está cabeza abajo, lo primero que saldrá de la madre será la coronilla.

Hueso sacro. Este hueso corto, impar, central y simétrico está compuesto por cinco vértebras en forma de pirámide. Está justo encima del coxis y sirve para transmitir el peso del cuerpo a la cintura.

Ombligo. El cordón umbilical se marchita pasados unos días desde el parto y la pequeña cicatriz que deja es nuestro ombligo. Es importante cuidar bien el ombligo del bebé hasta que se seque, pues como cualquier herida puede infectarse.

Semana **34**

Preparando el terreno

No hay nadie mejor que yo con las manos

Masajes perineales

El masaje perineal es una técnica que se utiliza para dar elasticidad a los músculos del periné y se recomienda en el preparto para evitar los desgarros y la episiotomía y también para que la futura mamá se familiarice con la sensación de estiramiento de la zona y vaya al parto más confiada y relajada. Si realizáis estos masajes con la perioricidad suficiente, es muy probable que tu chica pueda evitar la episiotomía, si es que habéis especificado en el plan de parto que en la medida de lo posible el médico la evite.

Es aconsejable comenzar con estos masajes a partir de los siete meses, aunque la verdad es que cuanto antes se empiecen, mejores serán los resultados. Normalmente es más fácil si alguien se los hace a la mujer embarazada, sobre todo cuando esté avanzado el embarazo, puesto que no es nada fácil adoptar ciertas posturas y ejecutar ciertos movimientos relajadamente con una barriga por medio. Ayudarla en este aspecto será una clara prueba de complicidad; no imaginabas tú que ibas a llegar a esto cuando decidisteis tener un bebé.

Si te animas a ayudarla con sus masajes perineales, debes revisar si tienes alguna herida o uña mal cortada. Ella tiene que relajarse y colocarse en una postura cómoda; la mejor es recostada en un sofá sobre unos cojines. Lava tus manos, humedécelas bien con aceite –puede ser perfectamente aceite de oliva u otro aceite indicado– e introduce suavemente los dedos índice y corazón unos 2-4 cm en el interior de su vagina (si ella lo hace sola, entonces que se ponga de pie con una pierna en una silla y utilice sus dedos pulgares). Ahora has de realizar movimientos desde el fondo hasta la superficie apretando moderadamente y estirando el tejido. Prueba a cambiar de dirección cuantas veces quieras procurando abarcar toda la **pared vaginal**.

Masajes de bebé

Los masajes a los bebés son muy útiles en muchas circustancias. No hay nada mejor para tranquilizarle, y bien vas a saber lo importante que es que esté tranquilo. Pero además tienen muchas otras utilidades para su bienestar.

EL MASAJE INFANTIL

Los masajes son una buena técnica de relajación para todas las personas, pero en el caso de los bebés nos permiten además ayudarles a superar los cólicos del lactante, los gases, el estreñimiento, etc.

Estos masajes relajan al bebé, lo que provoca en él un bienestar tanto físico como emocional. Además es una buena forma de irse conociendo y ver cómo reacciona, las caras y muecas que va poniendo.

Cuando los bebés sufren los famosos cólicos del lactante, le podemos ayudar con un pequeño masaje sobre el abdomen. Describe pequeños movimientos circulares sobre su tripa: no son mágicos, pero seguro que algo le alivian y además le calman.

El masaje es una actividad ideal para practicar con el bebé. Seguro que eres capaz de secarlo tras el baño y dedicar unos minutos a masajearlo y mimarlo antes de volver a ponerle el pañal y vestirlo.

No hay grandes secretos para los masajes, solo hacerlos con grandes dosis de cariño y no forzar al bebé en posturas que no sean naturales para él.

TIPOS DE MASAJES

Puedes masajearle todas las partes de su cuerpo, si bien los más efectivos son en el abdomen, en el tórax, en la espalda y en el pie.

La técnica es bastante sencilla, aunque usando el sentido común no es complicado darle un masaje al bebé. Si tu chica no se fía mucho de ti porque piensa que no eres lo suficientemente delicado, puedes optar por acudir a algún curso o seminario para que se quede más tranquila.

Cuando llegues al punto inferior de su vagina, presiona suavemente hacia abajo hasta que ella te avise de que nota una ligera sensación de quemazón. Mantened ese momento unos segundos: tú la presión y ella la sensación mientras se concentra en respirar para aliviarla, y dejad que vaya cediendo la piel. Este aprendizaje resulta valiosísimo para el parto.

El masaje debería durar unos 15 minutos, aunque dependerá del tiempo y ganas que tengáis. Lo importante es que se haga con regularidad. Según vayáis practicándolo, notará que sus músculos van consiguiendo estar relajados y elásticos en menos tiempo.

En el fondo no es más que llevar al gimnasio a la vagina, para que elastice lo suficiente para hacer mucho más llevadero el parto vaginal. Claro que puede que el parto acabe siendo cesárea, pero, al menos, seguro que habéis pasado más de una tarde de risas.

En el postparto, una vez que vuestro bebé haya nacido, también es recomendable continuar con los masajes de forma periódica para, en el caso de que exista un desgarro, evitar que se forme una cicatriz.

- Si no te gusta la idea o te da la impresión de que le vas a hacer daño, no la ayudes con los masajes. Estos se realizan para que el músculo se relaje, de modo que si tu actitud no es buena, ella no podrá relajarse.

- Seguro que tu instinto de hombre te lleva a excitarte en algún momento mientras masajeas el periné de tu chica. Ella debe relajarse, y con esa mirada tuya no lo va a conseguir. Hazlo bien o no lo hagas.

Reteniendo todo

Una de las molestias más habituales del embarazo, que tiende a acentuarse en los últimos meses, es la retención de líquidos, así que no te extrañes si a tu chica también le pasa.

Se manifiesta como una sensación de hinchazón en piernas y tobillos, pesadez y cansancio, y suele empeorar al final del día. Puede llegar a provocar hormigueo, palpitaciones y otras molestias.

Ya hemos visto que tanto los paseos como los masajes con agua fría o geles refrescantes pueden hacer que mejore bastante. También colocar las piernas unos 15 centímetros por encima del resto del cuerpo. Si veis que aun así la hinchazón es excesiva o se concentra en cara y manos, no dejéis de consultar al médico, puede ser algo serio.

Otra de las cosas que más nos ayuda a eliminar la retención es la reducción de la sal. Es importante que no tome sal, lo cual no se reduce simplemente a no salar las comidas. Hay un montón de comidas que contienen una gran cantidad en sal que hará que retengamos aún más los líquidos. Debemos eliminarlas inmediatamente de nuestra dieta.

- Aperitivos, encurtidos, etc.: hay muchos alimentos que contienen una gran cantidad de sal y que debemos eliminar de la dieta. Estos alimentos se cuelan en nuestras cocinas sin darnos cuenta y pueden ser muy perjudiciales en este momento. En general, las conservas incorporan una gran cantidad de sal, y aunque no lo apreciemos en el sabor, estamos proporcionando al cuerpo algo nocivo. Piensa en todas las latas de atún, guisantes, maíz, etc., que consumimos pensando que son inocuas.

¿Tiene que salir por ahí?

A pocas semanas del parto, y ya viendo cómo va creciendo la barriga, se os hará difícil creer que la cabeza del bebé ¡¡va a caber por ahí!! Que no se preocupe: esto, como todo en el embarazo, resulta casi mágico pero... factible.

Durante el paso a través del canal del parto, el bebé se encaja dentro del estrecho espacio de la mamá realizando un giro de torniquete. La articulación sacroilíaca y ambas ramas del pubis por suerte son algo flexibles gracias a la influencia de las hormonas, y el **coxis** también puede dilatarse adicionalmente en torno a un par de centímetros.

La anchura de la entrada pélvica, junto con el tamaño y posición de la cabeza del bebé, determinarán si es posible el parto vaginal. En general, la distancia entre el borde trasero del pubis y el extremo superior del sacro debería ser al menos de once centímetros, a lo que podemos añadir la flexibilidad de la pelvis de la madre y la deformación temporal de los **huesos craneales** del bebé, que aún no están soldados entre sí. En los exámenes prenatales es cuando se determinan tanto la posición como la estructura de la cabeza del bebé, así como el eje en el que está situado. Si el eje de su cuerpo está situado respecto al eje de la madre longitudinalmente (el 99% de todos los casos), tu chica ya tiene mucho ganado. La posición transversal es muy poco frecuente (el 1% de los casos). Generalmente el parto vaginal solo es posible en posición longitudinal.

Cuando vaya a ponerse de parto, pasará de manera más o menos fluida de sentir las contracciones de Braxton Hicks a sentir las propias del parto. Empezarán a aumentar la frecuencia e intensidad de sus dolores y con las contracciones se irá abriendo más y más su orificio uterino. Tras cada contracción, las fibras de los músculos ya no vuelven a su longitud original, sino que permanecen algo más acortadas.

En la fase de dilatación, tendrá de una a tres contracciones cada diez minutos, que aumentarán a cinco en la fase de expulsión. En esta fase, a la presión que provocan estas contracciones se añade la participación de la musculatura abdominal, lo que hará posible el milagro de la apertura de su cuerpo y el parto.

Una vez finalizado el parto, pasará por el alumbramiento, que es cuando desciende la placenta. No es un proceso doloroso, pero puede demorarse bastantes minutos.

- No es como te lo imaginas, la cabeza no sale disparada. En realidad los genitales de tu chica parecerá que desaparecen. Si asistes al parto podrás ver al bebé antes de que salga y lo que veas en ella será simplemente una especie de abertura. Piensa que se dilata de tal manera que los labios, el clítoris, etc. no se verán en el proceso de expulsión. Si no sabes si te va a dar impresión ver el parto, al menos ten claro que el proceso último de expulsión te dará más alegría que impresión.

Glosario

Pared vaginal. Es la superficie de la vagina, y tiene varias capas: mucosa, muscular y conectiva.

Coxis. El coxis es el vestigio de nuestra cola, y sirve de soporte para muchos ligamentos y músculos. Es el último hueso de la columna vertebral y, ojo, puede fracturarse produciendo mucho dolor.

Huesos craneales. El cráneo humano está formado por ocho huesos. Estos huesos sirven de alojamiento a nuestro encéfalo y a nuestro sistema nervioso central a excepción de la médula ósea.

Semana **35**

Todo preparado

Síntomas del parto

Es fácil confundir algunas de las molestias del final del embarazo con las del parto en sí. A ambos os vendrá de maravilla conocer cuáles son realmente los síntomas más habituales que indican que el bebé ya quiere salir de la tripa de su madre. Estos síntomas no incluyen que tu chica se retuerza de dolor y te pida que la acompañes al hospital, claro está.

- La expulsión del tapón mucoso. Este puede expulsarse durante el parto o unas horas e incluso varios días antes. La pérdida del tapón no es razón para correr al hospital.
- La ruptura de aguas. «Romper aguas» es un indicio de que se ha roto **la bolsa** que contiene el líquido amniótico. Esta señal no pasa inadvertida porque literalmente «empapa». Suele romperse durante el trabajo del parto, con las contracciones.
- Las contracciones. Estas se inician de una manera suave y espaciada y se van agudizando y prolongando. Son fáciles de detectar porque vendrán acompañadas de unas molestias en la espalda y los riñones que se dirigirán hacia la zona inferior del vientre, poniéndolo muy duro. Cuando las contracciones sean cada 10 minutos, con una duración de unos 30 segundos, será el momento de salir hacia la clínica.

Tapón, aguas y contracciones...

- Que tu chica se ponga de parto no significa ni mucho menos que tengáis que salir corriendo. Si es primeriza, puede que tarde todavía un montón de horas en completar la dilatación, así que no cunda el pánico. Con la serenidad que le permitan las molestias o los dolores de las contracciones, podéis coger tranquilamente la maleta e ir hacia el hospital. Si hay otros síntomas que consideréis alarmantes, como fuertes dolores o hemorragia, entonces sí que lo mejor es no perder tiempo.

Hemorroides, todo un mundo

Aunque no es una dolencia grave, puede ser una molestia que influya un montón en el estado de ánimo de tu chica y por tanto en el tuyo. Aquí puedes conocer un poco más de ellas y ver qué se puede hacer para mejorar. Las hemorroides no son exclusivas de las embarazadas.

¿Qué son?

Las hemorroides no son más que varices o venas inflamadas en el recto y en el ano. Su origen suele ser el sobresfuerzo para defecar, pero en este caso tienen más que ver con el embarazo y los problemas descritos en la siguiente página. Los síntomas son dolor, picazón y sangre viva en las heces y su tratamiento pasa por baños de asiento y cremas, aunque en algunas ocasiones hay que recurrir a la cirugía.

Factores de riesgo

- Factores hereditarios.
- Sobrepeso.
- Estreñimiento.
- Estar mucho tiempo de pie o sentado.
- Abuso de laxantes.
- Estar en las últimas semanas del embarazo.

¿Qué se puede hacer?

- Hacer ejercicio regularmente.
- Evitar mantener muchas horas la misma postura.
- Mantener una buena higiene para evitar las infecciones.
- Comer mucha fibra y líquidos para evitar el estreñimiento.
- Evitar los picantes y el alcohol.
- Baños de asiento con agua tibia.
- Aplicar frío para reducir su inflamación.

Alimentación

- Se recomienda consumir alimentos que ayuden a evitar el estreñimiento y que la materia fecal sea menos dura.
- Se recomienda evitar las comidas irritantes, como los picantes, las especias, el café o té, el chocolate y el alcohol.

¿En qué grado están?

Su desarrollo tiene varios grados.

Grado I

Las hemorroides son interiores y su síntoma es la sangre viva al defecar. Son las más comunes.

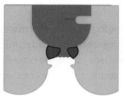

Grado II

Las hemorroides salen por el ano al defecar pero se reintroducen espontáneamente. Es decir, ellas solas.

Grado III

Las hemorroides salen por el ano al defecar pero no se reintroducen.

Grado IV

Las hemorroides están costantemente fuera del recto; en este caso sí puede tener unos síntomas bastante acusados con dolor, picor, etc.

Hemorroides

Muchas embarazadas desarrollarán hemorroides durante su embarazo. Parece que el aumento de hormonas y de volumen sanguíneo tiende a **aletargar** algunos de los sistemas de la futura mamá, entre ellos y fundamentalmente el aparato digestivo. Eso, sumado a su peso adicional y la dificultad para sentarse o estar de pie durante largo tiempo, conforman las condiciones idóneas para que se desarrollen las hemorroides.

Aunque las hemorroides duelan, afortunadamente son un padecimiento muy habitual que puede atenderse con relativa facilidad. Sus síntomas más comunes, aparte del dolor, son el picor y el sangrado de la zona rectal. Durante el embarazo cualquier mancha de sangre alarma, sobre todo cuando se da en una zona tan cercana al canal del parto, pero en este caso no tiene por qué asustarse.

Lo mejor que puede hacer es intentar prevenirlas evitando su causa: la presión sobre el recto, y para ello debe evitar a toda costa el estreñimiento con una dieta muy rica en fibra y agua. También es muy aconsejable que practique los ejercicios Kegel, ya que mejoran considerablemente la circulación de la zona.

- El mejor remedio para aliviar los síntomas de las hemorroides son los baños de asiento: ni más ni menos que remojar el culo.

- Puede que esta nueva molestia lo sea de verdad. Ella no va al baño porque no puede, lo intenta y se le irritan las hemorroides, cuando tiene ganas no va para evitar el dolor de las hemorroides, y así se completa un círculo vicioso. Ojo, por muy molesto que sea el tema, debe tener cuidado con no tomar ningún laxante.

Cuando dé a luz…

¿Y cómo será todo una vez que tu chica haya dado a luz? Generalmente tras el parto suelen aparecer una serie de molestias y dolores con los que la mamá no contaba. Lo normal será volver a casa con el bebé en brazos… y con todo el cuerpo dolorido.

Su cuerpo poco a poco sufrirá la metamorfosis necesaria para volver a su estado anterior al embarazo, así que durante al menos diez días experimentará estas dolencias propias del **postparto**:
- Los loquios. Causan un dolor intermitente y suelen producirse cuando se está dando de mamar al bebé. Están provocados por la separación de la placenta de la pared uterina. Incomodan bastante, pero afortunadamente el dolor dura poco.
- Entuertos. Son unas contracciones fuertes cuya función es retraer el útero para que vuelva a su tamaño habitual. Duran solo unos pocos segundos y luego desaparecen.

En torno al mes o mes y medio, tanto su útero como su vagina volverán a sus dimensiones y características normales. El resto de su cuerpo puede tardar algo más, e incluso puede que su pecho nunca vuelva a recuperar su tamaño.

- Quizás sea durante los días posteriores al parto cuando tu chica más te necesite. Le dolerá hasta el pelo y vuestro bebé necesita que lo atiendan muchas veces al día. Durante la primera semana, la maternidad puede llegar a resultarle muy dura, así que tendrás que echarle una mano… Que no desfallezca, muy pronto se encontrará bien. Una de las grandes ventajas que tiene el parto vaginal sobre la cesárea es la rápida recuperación. Cuando la mamá se recupere, la maternidad será otra cosa para ella.

Resuelve tus asuntos urgentes

Aunque la llegada de vuestro bebé a casa seguro que os llenará la vida de alegría y novedad, lamentablemente este momento tan especial suele venir acompañado de un período de muchísimo cansancio, falta de tiempo para todo y algo de estrés que deberíais evitar, por lo que es más que aconsejable que procuréis resolver antes del nacimiento todo lo que tengáis pendiente. Es recomendable que os hagáis una lista de todo ello e intentéis tachar lo máximo que podáis cuanto antes para no sumar quehaceres en las semanas posteriores al parto.

Logística

Es una buena idea que prepares la casa para después del parto como si fuera un refugio nuclear. Es ideal hacer una hipercompra para no necesitar tener que salir en varios días. Si queréis salir, perfecto, pero que no sea una necesidad.

Las cosas del bebé

Pañales, toallas húmedas, cremas, jabón, esponja, etc.: su habitación llevará meses preparada, pero a veces somos incapaces de comprar pañales hasta el día en que nos hacen falta sí o sí. Seguramente lo que menos le apetece a

la recién parida es ir de compras o tener que prescindir de ti para que te encargues.

Papeleos

Hay algunos, como la inscripción o la asignación de un pediatra, que tendrán que ser a posteriori. Pero también hay muchos, como los seguros, que podéis solucionar antes.

Si puedes, coge unos días de vacaciones extra para estar con tu chica y el bebé. Ella va a necesitar ayuda, y a estas alturas, después del embarazo y el parto, no te va a querer sustituir por su madre, hermana, amigas... Además, estos primeros días son muy chulos, pues por más que miras al bebé, no acabas de creértelo. Eres padre, y empieza lo serio.

Si no puedes dejar de trabajar estos días, quizá sí puedas hacerlo desde casa. Piensa que la nueva madre deberá descansar bastante y que cada vez que el bebé duerma ella seguramente lo hará. Los bebés requieren atención muchas veces al día, por lo que tampoco proyectes que puedas trabajar mucho. Además, cuenta con dormir menos, y ya sabes que se rinde menos cuando no se descansa lo suficiente.

* Es cierto que estaréis agotados después del embarazo y el parto. Evidentemente ella se lleva la peor parte, pero seguro que aunque sea por el estrés y por las noches en el hospital, tú también estarás hecho polvo. Solo tienes que aguantar un par de semanas más para que todo empiece a encajar en su sitio, desde el descanso hasta las comidas. Los humanos somos animales de rutinas, rutinas predecibles que nos ayudan a descansar. Apoya a tu chica por mucho que te apetezca ir a trabajar.

Glosario

La bolsa. Esta bolsa contiene el líquido amniótico, así que es importante que no se rompa antes de tiempo pues el feto se quedaría sin el ambiente apropiado para seguir creciendo.

Aletargamiento. Es el estado de adormecimiento en que se encuentran algunos de los sistemas de una mujer embarazada.

Postparto. Son los días posteriores al parto, hasta diez. Durante estos días es normal que la mamá tenga aún algunas molestias si ha sido un parto vaginal sencillo. Si durante el parto le han realizado la episiotomía o han usado fórceps, las molestias pueden prolongarse unos días más.

Semana **36**

Ya queda poco

Epidural sí, epidural no...

Tu chica viene planteándose todas estas cuestiones desde hace mucho, pero es ahora, cuando ve que le falta muy poco para dar a luz, cuando realmente le preocupan. A casi todas las mamás les gustaría que el parto fuera lo más natural posible y no usar ningún tipo de anestesia, pero el miedo al dolor les lleva a inclinarse por ella. Si no lo hacen ahora, casi seguro que llegarán al hospital pidiéndola a gritos. Hay que estar muy concienciada para rechazar que te alivien el dolor. Quizás es mejor hacerse la valiente en el próximo parto.

La epidural en sí no es solo una anestesia. Realmente a lo que llamamos epidural es al hecho de insertar una aguja en la parte inferior de la espalda y hacerla pasar entre las vértebras por debajo de la médula espinal. A través de esta aguja se inserta un pequeño tubo por el que se administrarán distintos fármacos directamente o mediante una bomba. Si usan una **bomba de fármacos**, pueden administrárselos en pequeñas cantidades de una forma continua, de modo que tu chica podrá estar de pie, moverse y empujar con mayor eficacia. Si esta opción no es posible, tu chica no sentirá dolor pero tampoco sentirá las piernas.

- La epidural disminuye el dolor pero también la sensación de empujar, así que tu chica tendrá que seguir las indicaciones del médico o la matrona porque no sabrá cuándo hacerlo.

- Tú aquí no opines. Síguele la corriente, que es a ella a quien le duele. Si no la quiere, no la quiere, y si grita que se la pongan, grita con ella. Es mejor que no mires cuando se la pongan: esa aguja asusta a cualquiera por muy hombre que sea.

Muerte súbita del lactante

Tener un hijo es todo alegría para sus padres, pero a la vez conlleva, además de responsabilidad, nuevas preocupaciones, la más importante es la salud del bebé. El síndrome de la muerte súbita del lactante es una preocupación para todos los padres; conoce un poco más sobre ella.

¿Qué es?

El síndrome de muerte súbita del lactante es la muerte repentina e inesperada de un niño sano menor de un año. Se desconoce el motivo por el que el bebé muere, generalmente mientras duerme. Es la primera causa de muerte en bebés sanos.

Factores de riesgo

No se conocen las causas, por lo que los factores de riesgo obedecen a la pura estadística; en realidad se desconoce el proceso y se ignora por qué se produce.

- Exposición al humo del tabaco.
- El bebé duerme boca abajo.
- El bebé no consume leche materna.
- Demasiado calor en la habitación.
- Madre adolescente.
- Parto muy seguido respecto al anterior.
- El bebé es prematuro.
- Es más común entre los varones.
- Bajo peso al nacer.
- Consumo de drogas por la madre.
- Sobrepeso de la madre.

Recomendaciones

- El bebé debe acostarse boca arriba mejor que de lado o boca abajo.
- El colchón debe ser firme y hay que evitar las almohadas y otro tipo de prendas de cama.
- La habitación debe estar fresquita.
- La casa donde vive el bebé debe estar libre de humos.
- La lactancia materna es recomendable.

El chupete

El uso del chupete reduce muchísimo el riesgo de padecer el síndrome de muerte súbita del lactante. Realmente no se sabe por qué, pero parece que los centímetros que el chupete sobresale de la boca permiten al bebé estar despegado del colchón, por lo que el riesgo de asfixia disminuye.

Dormir solo

Parece que en los casos en que el bebé duerme solo hay más incidencia de este síndrome que en los casos en que comparte cama con los padres.

Todo controlado, ¿verdad?

El parto se aproxima y es necesario tener todo controlado. Lo primero son los detalles logísticos básicos. Si habéis escogido dónde parir, es recomendable que te des una vuelta en coche hasta allí; cuando llegue el momento, tu chica te puede estrangular si pones el Tom Tom para llegar al hospital o si no sabes dónde aparcar. Ya que hablamos de coche, prueba la silla del bebé: cuando salgáis del hospital la necesitaréis. En efecto, entráis dos y salís tres o más.

Además es muy recomendable que tengáis hecha la maleta. Uno piensa que se pondrá de parto como os han explicado en las clases, que pasarán horas hasta que tengáis que ir al hospital y podréis hacer la maleta con toda tranquilidad. Pero si no es así, ¿qué? Lo mejor es tenerla preparada unas semanas antes y así tendréis algo menos en lo que pensar. Para que no se os olvide nada, lo mejor es hacer una lista.

Pero los preparativos no acaban aquí; cuando volváis a casa, el cuarto del bebé deberá estar terminado y listo para recibirle: la cuna montada, las paredes decoradas, su ropa en los cajones, el cambiapañales, el humidificador, los biberones, el **sacaleches**, las sábanas de la cuna, los protectores, etc.

- Una de las listas que debes tener controlada si no quieres provocar algún enfado es la de a quién llamar o qué publicar en Facebook o Twitter. Colgar una mala foto después de diez horas empujando puede arruinarle ese día a ella y semanas a ti.

- Al hospital vais a ir los dos por unas horas, así que es recomendable que también tengas algo preparado para ti, que no te pille el momento sin batería en el móvil o monedas.

Insomnio total

Es imposible dormir en esta casa. Tu chica no duerme, y seguramente tampoco tú. Si quieres pensar en positivo, es una manera de aclimataros a lo que va a pasar cuando tengáis al bebé. Eso de dormir toda la noche de un tirón lo vais a tener que dejar para dentro de unos meses. Y eso de estar en la cama hasta mediodía directamente lo podéis olvidar.

Tu chica está sufriendo cambios hormonales, su abdomen cada vez es más grande, ya no encuentra postura para relajarse, su espalda sufre el peso de la panza y su vejiga está constantemente presionada. Vamos, que el insomnio se ha instalado en vuestras vidas. Así que empieza a acostumbrarte a los programas de tarot y las teletiendas, pues vas a ver mucha tele de madrugada.

Hay varias cosas que ella puede hacer para intentar dormir mejor; lo primero es no beber de noche para así no tener que levantarse al baño. Cuanto mejor duerma ella, más descansarás tú. Al principio te despertabas porque estabas atento a cualquier cosa que le pasaba. Ahora te despiertas porque le cuesta mucho levantarse y hace todo tipo de ruidos además de las quejas sobre el calor, su panza, etc.

- Tu chica ha dejado de ser una marmota, así que tendrás que cambiar tus costumbres. Haz lo necesario para no despertarla si llegas tarde, o te levantas de madrugada, etc. Eso de dormirse de pie ha pasado a la historia.

- Hay almohadas específicas para embarazadas; son alargadas y sirven para que tu chica se abrace a ellas y le queden entre las piernas. Aunque no lo parezcan, son útiles; eso sí, algunas dan hasta celos.

A la luz de las velas

A partir del nacimiento del bebé tendrás menos tiempo para estar a solas con tu chica, quizás una hora justo antes de ir a dormir, y eso, terriblemente cansado durante los primeros meses. Piensa que ya no queda tanto para el parto y organiza una velada romántica; puede que tardéis meses en volver a disfrutar de una.

Ir a ver un espectáculo o vuestra obra favorita y a cenar a un sitio especial puede ser un buen plan. Lo importante es que sea un sitio relajado y en el que os podáis olvidar por unas horas de todo lo que se avecina: el parto, los primeros días del bebé, la falta de sueño, etc.

Otra idea es salir con los amigos, pero con los que no hablan de **lactancia** ni de partos. Así os será más fácil abstraeros de las circunstancias y pasar una velada sin que vuestro bebé sea el único tema de conversación en toda la noche.

También podéis hacer un pequeño viaje a algún sitio cercano; a veces con viajar unas decenas de kilómetros es suficiente para cambiar la rutina de vuestros días y distraeros. Es importante que no hagáis viajes largos en esta etapa: le resultaría incómodo a tu chica y nunca se sabe cuándo va a ponerse de parto.

Seguro que no os motiva tener a vuestro bebé a 500 kilómetros de casa.

¿Recuerdas cuando tu chica era la mujer más atractiva y con más encanto de la tierra? ¿Hace cuánto que no la ves como mujer y no como mujer/madre/fábrica del bebé? Lo dicho, no dejes pasar estos últimos días y convierte una noche cualquiera en una noche inolvidable.

¿Con sexo y todo? Eso depende de lo que os apetezca; incluso hay muchos que os dirán que es estupendo porque ayuda a adelantar el parto, pero ¿esto es verdad? Pues no, siento decirte que no; aunque es una especie de leyenda urbana, los estudios han demostrado que mantener la actividad sexual al final del embarazo o suspenderla no influye a la hora de tener un buen parto. Entendemos por un buen parto el que se desarrolla sin ninguna complicación. De todas maneras, no hay problemas en practicar sexo en esta etapa siempre que no exista una causa médica que lo prohíba.

Así que, si os apetece, no hay más que hablar: aparta las veintisiete almohadas de la cama, pon la música a todo trapo y a relajaros un rato o dos, los que os apetezcan.

- Quizás lo puedas organizar todo en casa, más cómodo y más económico. Cocinar juntos entre arrumacos, con vuestra música favorita, vuestra película preferida y, si el tiempo lo permite, una copa en el balcón; eso sí, para ella sin alcohol.

- ¿Has pensado en que puede que sea la última noche de sexo en meses? Aterrador. Envíale ahora mismo unas flores, prepara el ambiente bien, no lo dejes para mañana.

Glosario

Fármacos en la epidural. La epidural no es en sí un fármaco único sino la colocación de una bomba que permite al anestesista administrar la cantidad adecuada de distintos fármacos en cada momento.

Sacaleches. Si tu chica le va a dar el pecho al bebé, necesitaréis un sacaleches para que no sea su esclava. Si ella se saca la leche, tú u otra persona podéis dar el biberón y ella podrá dormir, trabajar, vivir...

Lactancia. Tema favorito a partir del tercer trimestre: pezones, cubrepezones, sacaleches mecánicos, electrónicos, con estimulación, etc.

Semana **37**

De papeleo

Es más difícil tener un bebé que hacer una oposición

Engordando y madurando

¡Ya estáis en el último mes de embarazo! Durante este mes, vuestro bebé, que ya está plenamente desarrollado, reforzará sus defensas con los anticuerpos que recibe de su madre.

Si pudierais observarle en una ecografía, probablemente le encontraríais succionando su dedo pulgar y tragando los alrededor de dos litros diarios de líquido amniótico cargados de sustancias protectoras, en plena preparación de su organismo para la vida fuera del seno materno. Más o menos pesará alrededor de unos 2.800 gramos y medirá en torno a los 50 cm. En general, si aún no se ha situado cabeza abajo, es muy probable que lo haga de un momento a otro. No hay que preocuparse si aún sigue con la cabeza arriba, ya que muchos bebés corrigen su posición momentos antes del parto.

Probablemente este último mes se os hará interminable, especialmente a ella. Intentad disfrutar al máximo de estas últimas semanas, dormid y descansad. Aprovechad todo lo que podáis, pues muy pronto os resultará prácticamente imposible encontrar un momento de tranquilidad e intimidad, y mucho menos dormir de un tirón más de cuatro o cinco horas.

- Disfrutad de estos momentos; por más que todo el mundo os lo explique, no seréis capaces de haceros una idea de lo que os espera hasta que tengáis al bebé en los brazos. Desde ese día no sabréis cuándo podréis tener una velada tranquila.

- Ahora que el bebé puede decidir salir en cualquier momento, aprovechad para repasar la maleta que llevaréis al hospital; ojo, que no se os olvide nada.

Saber respirar

Saber respirar es algo que deberíamos hacer todos correctamente, pero lo cierto es que respiramos mal y eso influye en todos los ámbitos de nuestra vida. Si además se está embarazada, como tu chica, es bueno recordar cómo se hacía correctamente.

¿Repirar para vivir?

Respirar es vida, pero se puede respirar bien o mal. Aunque no lo parezca, nuestra forma de respirar puede afectar mucho a nuestra vida diaria.

Uno no respira igual si está tranquilo, relajado, emocionado o enfadado. Una respiración superficial nos restará vitalidad, una agitada nos llevará directos a la ansiedad y una respiración profunda nos ayudará a relajarnos.

Por lo tanto, debemos saber controlar nuestra respiración para ayudarnos con ella. Su control nos permitirá influir en nuestro estado emocional.

Tipos de respiración

Hay varios tipos de respiración y no todas son sencillas de ejecutar. Alguna, como la que se intenta desarrollar en el yoga, solo se consigue con un gran entrenamiento.

La respiración que en nuestro caso debemos practicar es la respiración abdominal, que nos ayudará a relajarnos e incluso en el parto.

Esta respiración se basa en el diafragma, el músculo que separa el abdomen del tórax. Es muy sencilla de entender. Cuando bajamos el diafragma, cogemos aire desplazando los órganos que hay por debajo y se nos hincha la tripa. Al subir el diafragma, echamos el aire al empujar los pulmones.

Esta respiración lleva gran cantidad de aire a los pulmones, por lo que oxigenamos la sangre. También es muy relajante y estimula nuestra circulación. Además nos masajeamos los órganos con el diafragma; curioso, ¿verdad?

Vamos a practicar

Esta respiración es estupenda para relajarte, puedes practicarla siempre que te encuentres nervioso o antes de dormir. Si queréis, podéis practicar la respiración juntos, a ella le vendrá estupendamente. Si además pones algo de música relajante, os dormiréis seguro, y eso, a estas alturas del embarazo, le sentará muy bien.

Practicad siguiendo estos puntos. Seguro que os sentará estupendamente.

1
Túmbate y ponte cómodo con una almohada bajo tu cabeza y otra bajo tus rodillas.

2
Suspira varias veces para asegurarte de tener los pulmones vacíos.

3
Inspira profundamente llevando el aire hacia el abdomen, como si quisieras hincharlo a tope.

4
Retén el aire unos segundos.

5
Expulsa el aire desinflando el abdomen; empuja voluntariamente el diafragma hacia arriba para expulsar todo el aire.

6
Mantente sin respirar sintiendo cómo te relajas hasta que tengas el impulso de hacerlo de nuevo.

Pasear y pasear

Durante el embarazo tu chica se habrá cansado de oír que debe practicar algún tipo de ejercicio físico, que mantenerse un poco en forma es de vital importancia para ella y para su futuro bebé... De entre todas las posibilidades para cumplir este importante objetivo, sin duda lo más beneficioso y fácil de llevar a cabo es caminar, desde el comienzo del embarazo hasta el final. Está muy bien eso de practicar deportes o tomar clases, pero la verdad es que la gran mayoría de las embarazadas acaba caminando kilómetros y kilómetros.

Salvo contraindicación, todas las futuras mamás pueden caminar. Caminar no solo ayuda a mantener el peso sino que facilita la circulación sanguínea y rebaja muchísimo el nivel de estrés. Es altamente saludable dar largos paseos por zonas llanas y, preferiblemente, sobre terrenos poco accidentados para prevenir posibles caídas y tropiezos. Un entorno natural, como la orilla del mar o alguna zona boscosa, es ideal, aunque lo normal será estar en la ciudad. En este caso, buscad un bonito y amplio parque, cuyo acceso no resulte muy complicado, que no esté muy lejano y, en lo posible, libre de ruidos y contaminación.

- Recuerda a tu chica que no estáis en una competición, no hace falta cansarse. De hecho, no debería llegar nunca a su límite de cansancio. Es mucho más importante la regularidad que el esfuerzo puntual.

- Puede que ella no sea la típica mujer que no puede vivir sin el móvil. Si es así, habla con ella para que durante estas últimas semanas lo lleve siempre consigo. Nunca se sabe cuándo va a ponerse de parto. Quizás caminando...

¿A quién se parecerá?

En cuanto uno se entera de que un bebé está en camino, es fácil que surja la gran interrogante sobre qué rasgos heredará de nosotros. ¿Tendrá la sonrisa de mamá o esa manera de fruncir el ceño de papá? ¿Y su carácter, a quién se parecerá más? ¿Qué heredará de cada uno de nosotros...? Antes de que sigáis con esas elucubraciones y que vuestro ego se sienta algo violentado después, sabed que su herencia genética no viene determinada solo por vosotros, sus padres, sino por todos los antepasados cuyos cromosomas se han ido mezclando una y otra vez. Todos conocemos al bebé que no se parece en nada a sus padres pero es una calcomanía de su abuelo.

La totalidad de los genes que poseemos recibe el nombre de «genotipo». Una parte de ellos se manifiesta externamente dando lugar a nuestro fenotipo, y otros no se harán visibles nunca pero sí se podrán transmitir a generaciones posteriores. Cuando un óvulo y un espermatozoide se juntan y fusionan, surge una célula que devendrá en un nuevo y único ser humano, puesto que en ese cruce se calcula que entran en juego unos 80.000 genes diferentes repartidos entre los 46 **cromosomas** humanos. Las combinaciones son infinitas.

- El conjunto de todos los genes conforma nuestro patrimonio hereditario, nuestro mapa genético, de modo que determinará el color de la piel, la forma de los ojos, la inteligencia, la creatividad, la curiosidad, el temperamento y por supuesto la tendencia a desarrollar ciertas enfermedades.

- Solo si tenéis dos gemelos univitelinos, serían totalmente iguales. Si no, las combinaciones de ADN quedan en manos del azar.

¿Tienes claros los papeleos?

Cuando nazca vuestro bebé, hay una serie de trámites administrativos que os va a tocar hacer, y quizá podáis aprovechar estas últimas semanas antes del parto para informaros y adelantar todo lo que podáis los papeleos. En general, tú como padre o alguna otra persona delegada por la madre podréis hacer la mayoría de las gestiones, salvo aquellas en que su presencia sea obligatoria.

Inscripción en el Registro Civil

Es obligatoria, y ha de realizarse entre las 24 horas y los ocho días siguientes al parto. En caso de fuerza mayor, hay 30 días. Se inscribe al recién nacido en el Registro Civil del lugar de nacimiento o en vuestro domicilio, si no fuera el mismo.

Documentos que tendéis que llevar:
El DNI del padre y de la madre (original y fotocopia) y la documentación que se ha recibido en la maternidad debidamente cumplimentada (solicitud de inscripción, hoja de datos para el Instituto Nacional de Estadística e informe médico).
Para realizar el trámite, si estáis casados podéis ir cualquiera de los dos, y si no lo estáis, tendréis que ir los dos.

Asistencia sanitaria del bebé

Se aconseja que se le dé cierta prioridad, puesto que puede ser necesario tener que ir al pediatra en cualquier momento. Hay que ir a la oficina del Instituto de la Seguridad Social (INSS) más cercana.

Documentos que tenéis que llevar:
Certificado de la inscripción en el Registro Civil y cartilla de la Seguridad Social. Si ambos estáis afiliados a la Seguridad Social, podréis incluir al bebé como beneficiario de cualquiera de vosotros.

El trámite habrá de hacerlo aquel en cuya tarjeta se registre al bebé como beneficiario. Después habrá que acudir al centro de atención primaria para pedir la tarjeta sanitaria.

Prestaciones por maternidad y paternidad

Si tu chica trabaja, antes de abandonar la oficina del INSS puede solicitar la prestación por maternidad (16 semanas); y tú, la baja por paternidad (13 días que se suman a los pertinentes por el nacimiento de un hijo).

Documentos que tenéis que llevar:
DNI, documentación relativa a la cotización, informe de maternidad expedido por el Servicio Público de Salud y el libro de familia o certificación del Registro Civil.

Este trámite lo puede realizar cualquier persona en vuestro nombre. Puede recoger y entregar la documentación cualquier persona. Si ella no trabaja y está apuntada al paro (tanto si cobra subsidio como si no), debe acudir al Servicio Público de Empleo (SEPE) para informar de su baja maternal.

Es aconsejable que preparéis una buena carpeta o archivador para guardar debidamente todo el papeleo que generarán estos trámites. Unas horas después del parto os darán el informe médico de maternidad y el boletín estadístico. Cuando abandonéis el hospital, deberéis recoger en la oficina de administración el informe de alta hospitalaria. Ya solo os queda un rato para llegar a vuestra casa los tres.

Glosario

Cromosomas. Corpúsculos alojados en el núcleo celular que contienen el material de nuestra herencia biológica. Vamos, es donde están contenidos nuestros genes. En la especie humana contamos con 46 cromosomas.

Semana **38**

Monitoreando vamos

La monitorización

El monitoreo fetal es un estudio que todas las gestantes se hacen durante el último mes de su embarazo. Es un procedimiento que permite evaluar la vitalidad y **bienestar fetal** a través de los latidos cardíacos del bebé y de forma indirecta observar también el funcionamiento de la placenta y las contracciones del útero.

La prueba dura entre 20 y 30 minutos. En principio este examen se puede realizar a partir de la semana 36, dado que si los resultados indicaran que es aconsejable adelantar el parto por alguna situación especial, podría hacerse sin dificultad y el feto ya estaría preparado para ello... El registro que se obtiene es como el de un electrocardiograma, pero con la frecuencia cardíaca fetal, que marca ciertos parámetros que muestran el estado del bebé.

Si el embarazo llega a la semana 41 de gestación, el control por monitor probablemente se hará de forma más frecuente. A veces se completa esta prueba con un perfil biofísico (ecografía con control de movimientos y tono del feto, cantidad de líquido amniótico...) para obtener más información sobre el estado del bebé que se retrasa en nacer.

- El sonido del corazón del bebé en la monitorización os permitirá advertir que el bebé está casi listo para nacer. Si dejáis de oír su corazón, antes de gritar mirad si se ha despegado algún sensor, no os pongáis paranoicos.

- Los resultados de este monitoreo os confirmarán que todo sigue marchando bien; en caso contrario, indicarán la existencia de algún tipo de problema, y cuanto antes se pueda recibir una atención especial, mucho mejor.

Pum, Pum, Pum... parece una discoteca

¿Vas a cortar el cordón?

No todos los hombres son capaces de asistir a un parto, y mucho menos de ayudar. La decisión es de la futura madre, pero, si te ha elegido, ¿serás capaz? Te ayudamos a que reflexiones y te hagas las preguntas correctas antes de decir «sí, sí» o «no, ni en broma».

1

Parece que ya ha llegado el momento

Tranquilo, puede que sea una falsa alarma. Si no es así, sabes lo suficiente para comprender la urgencia que requiere. Piensa en todo lo que has aprendido en los libros y cursos.

2

En el hospital

Ya han evaluado el caso de tu chica y se queda, está de parto. Sigue tranquilo; si es primeriza, seguro que quedan horas hasta el parto en sí.

3

En el paritorio

Hay un equipo médico en el paritorio que habrá atendido a cientos de mujeres, así que tranquilo, es su trabajo. Ellos serán los que te indicarán dónde ponerte y qué hacer.

4

Te quedas en blanco

De repente, no recuerdas nada de lo que debías hacer. Tú atiende como si tú fueras el embarazado, así le podrás recordar a tu chica lo que dijo la matrona si se le olvida.

5

Pariendo

Todavía no hay mucha sangre de por medio, así que haz caso a todo lo que te diga la matrona. Podrás ver cómo nace el bebé, es un momento emocionante. Si ves que hiperventilas, respira profundo.

6

Cordón umbilical

Si no hay ningún problema, te ofrecerán cortar el cordón umbilical. El cordón umbilical está lleno de venas y arterias, tienes que cortar con decisión para poder hacerlo bien.
¡Ya está! Lo has conseguido, y sin desmayarte.

Ansiedad

El embarazo se caracteriza por unos cambios hormonales radicales en los que tanto los niveles de estrógenos como los de progesterona son especialmente elevados, por lo que, a menudo, lo que tu chica imaginó como una época de calma y felicidad puede convertirse en un período difícil y emocionalmente turbulento en el que serán frecuentes los cambios de humor y la ansiedad.

Parece que su estado emocional irá relacionado con la etapa en que se halle del embarazo. Mientras que a lo largo de los tres primeros meses puede que haya sufrido depresión o fatiga, generalmente, una vez se alcanza el segundo trimestre, las emociones habrán sido más positivas; y este último trimestre probablemente venga caracterizado por el estrés y la ansiedad. El parto está cerca, y a tu chica le asaltarán todo tipo de miedos y dudas. También podría aumentar su tendencia a la depresión.

En definitiva, el embarazo no tiene por qué ser una época maravillosamente feliz; es más, parece demostrado que no suele ser un período de especial **bienestar emocional**. Pero para eso estás tú, para comprenderla, ¿no?

- El equilibrio psicológico y el emocional de tu chica dependerán de tantos factores que ahora mismo están cambiando en su vida que es fácil que pueda sentirse desbordada, por lo que no subestimes la importancia que tu apoyo puede suponer para ella en estos momentos.

- Puede que durante estas últimas semanas se sienta más tranquila si está cerca de su madre, y es que el instinto es así. Si no queda otra, pues a mal tiempo, buena cara.

No te desmayes

No te lo tomes como algo personal... pero está comprobado que a muchos futuros papás les atemoriza el momento del parto, muchas veces incluso más que a sus parejas embarazadas.

Algunos temen no poder soportar ver a sus chicas sufrir así; otros imaginan que será un proceso muy sangriento; otros sudan al entrar en un lugar con agujas, y los más, sencillamente, tienen miedo o, más bien, vergüenza, de desmayarse. La realidad es que muy pocos papás se marean en los partos, pero sí es importante que estés seguro de que quieres estar presente, y si decides estar, procura ser un buen apoyo para ella. Y sobre todo, acepta que si te llegases a marear... realmente tampoco pasaría nada. Tu honra varonil no se habrá puesto en juego, y en el hospital hay personal de sobra para atenderte a ti sin dejar de prestar atención ni un minuto a la parturienta y a su bebé.

De todas maneras, si crees que te vas a marear, evítalo. De nada sirve sobreexigirse ni asumir absurdos roles que no ayudan a nadie. Poder o no poder estar y querer o no querer estar es totalmente legítimo, y lo que más valor va a tener ahora será tu franqueza, contigo mismo y con la futura mamá.

- Ten en cuenta que tu chica necesitará a alguien que la acompañe y dé fuerzas y ánimos durante el momento del parto. Analiza bien las razones por las que quisieras entrar y por las que preferirías no hacerlo, sopésalas, toma una decisión y coméntalo con franqueza con ella. No es momento para bravuconerías; si no te sientes preparado, no hay absolutamente ningún problema en reconocerlo y juntos buscar a la persona que pueda acompañarla durante ese momento...

Limpia la agenda

Os quedan apenas dos intensas semanas para que por fin llegue vuestro bebé. Vuestras emociones oscilarán entre la ilusión, la expectación, el miedo y la impaciencia.

Para no darle demasiadas vueltas a la cabeza, será un buen momento para repasar todo lo que hay que tener listo y evitar dejar asuntos importantes pendientes. Sí, otra vez.

Conviene que vayáis preparando todo el papeleo y documentación importante, y también es hora de ir preparando la maleta que llevaréis a la clínica. Daos el tiempo necesario para prepararla, hacer bien el equipaje; piensa que vais dos pero volveréis tres... Si no lo habéis hecho, no estará de más que os acerquéis al hospital para conocer bien el recorrido. Tened a mano los números de teléfono que creáis que podéis necesitar: taxi, la comadrona, hospital, familiares cercanos, vecinos de confianza... Si tenéis otro hijo, perro, gato... organizad con quién se va a quedar mientras estéis en el hospital.

Y no olvidéis pensar en los primeros días tras el parto: ¿te vas a coger la baja de paternidad para estar con tu chica y el bebé o la va a asistir su madre, hermana, amiga, doula?

- Traza un plan con ella sobre a quién le apetece ver estos días y a quién no, y ejecútalo al pie de la letra. Piensa que la noticia del bebé es una alegría, pero para la madre el parto es algo agotador y la mayoría de las mujeres pierden bastante sangre, por lo que no se encuentran especialmente bien. Si además le practican la episiotomía, los puntos le molestarán hasta para sonreír. Y no, en esas condiciones todos los que no sean absolutamente íntimos no deberían estar presentes.

Aunque en las parejas de hoy día las tareas domésticas suelen estar repartidas, no es mala idea, si os lo podéis permitir, que durante estas primeras semanas contratéis a alguien que realice dichas tareas. Si no es así, ocúpate tú. Estresarse porque el bebé llora y no sabéis bien qué le pasa puede valer, pero estresarse porque el suelo está sin barrer es absurdo.

También ten en cuenta el mundo de la visita. A todos nos gusta quedar bien con la gente, y más con los que se interesan por nosotros y están dispuestos a gastar su tiempo yendo a vernos. Pero en esta ocasión debéis pensar primero en vosotros. Sed egoístas por una vez.

Después de nacer el bebé, la noticia se irá propagando poco a poco entre vuestras familias y amigos, por lo que es natural que las visitas al domicilio empiecen al día siguiente de llegar del hospital. Como, afortunadamente, la gente te llama para comentártelo, ponte serio y pide que esperen unos días.

Los primeros días que compartís con el bebé son muy cansados, y tu chica aún está hecha polvo. Si alguien insiste mucho, coméntaselo: solo ella sabe si va a estar de humor para recibir a tus tres primas cotorras.

Glosario

Bienestar fetal. Es cuando el feto se encuentra en un estado estable y bueno para su objetivo, que es crecer, madurar y nacer.

Bienestar emocional. Durante el embarazo el bienestar emocional es muy difícil de conseguir por parte de los padres. El cuerpo de la embarazada tiene tanta variación hormonal para realizar su trabajo físico que el aspecto emocional es muy inestable. Si ella está inestable, ¿cómo vas a estar tú?

Semana **39**

La última eco

La ecografía final

Las ecografías resultan prácticamente imprescindibles para llevar un adecuado control gestacional. Durante el embarazo se suelen realizar tres ecografías de forma rutinaria, aunque en algunas situaciones podría hacer falta un mayor control ecográfico.

Tu chica deberá hacerse la última ecografía a partir de la semana 34; antes de este período no aporta información útil para el parto. La ecografía de este tercer trimestre, como las anteriores, es indolora para la madre y totalmente inocua para el futuro bebé y suele durar de 15 a 30 minutos. En ella se mide al feto en todas las áreas que resultan útiles para indicar su estado de desarrollo, y en particular se evalúa: su crecimiento, postura, **peso estimado**, presencia de posibles malformaciones, la posición de la placenta y la cantidad de líquido amniótico.

A veces se realiza un examen complementario a esta ecografía que se denomina «flujometría fetal», principalmente en casos de patología materna o sospecha de patología fetal. Unos resultados favorables en esta ecografía os confirmarán que el embarazo está llegando a término en óptimas condiciones.

La última ecografía, lo voy a echar de menos

- Seguramente esta será la última ecografía que hagan a tu chica durante su embarazo, y aunque es el mismo bebé que dentro de pocos días tendrás en los brazos, quizá en esta es en la que le veáis peor. Ya es muy grande, mucho, y solo lo podréis ver por partes. Puede que en esta ecografía sí podáis apreciar bien su cara, siempre y cuando el señorito o la señorita tenga a bien mostrarse. Ya no queda nada, aunque las ecografías seguro que las echarás de menos.

¿Ha llegado el momento?

Seguro que conoces todos los síntomas que anuncian un parto inminente; los habrás leído cien veces, te los habrán contado y explicado, pero sin duda aún no tienes muy claro si sabrás distinguir el momento. Te lo volvemos a contar por enésima vez.

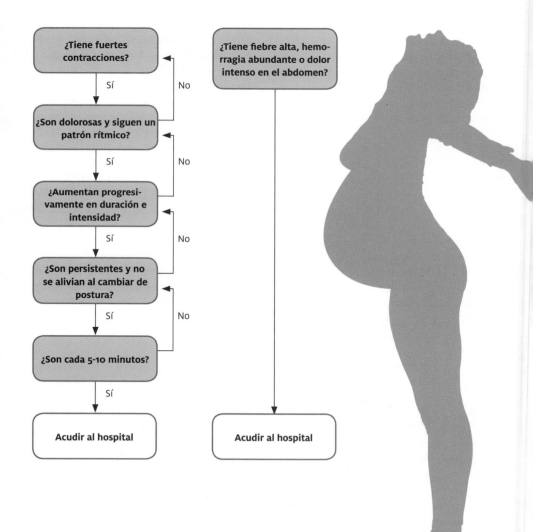

¿Tiene fuertes contracciones?

Sí — No

¿Son dolorosas y siguen un patrón rítmico?

Sí — No

¿Aumentan progresivamente en duración e intensidad?

Sí — No

¿Son persistentes y no se alivian al cambiar de postura?

Sí — No

¿Son cada 5-10 minutos?

Sí

Acudir al hospital

¿Tiene fiebre alta, hemorragia abundante o dolor intenso en el abdomen?

Acudir al hospital

¿Y la cesárea?

La cesárea es un procedimiento que se utiliza cuando el parto no es posible o seguro por vía vaginal y que consiste en realizar una abertura en el abdomen de la madre por la que se extrae al bebé. Generalmente la mujer está despierta pero con el cuerpo anestesiado desde el tórax hasta los pies, anestesiada parcialmente.

El uso de la técnica de parto por cesárea tiene un importante grupo de detractores, fundamentalmente por el abuso que se hace hoy día de este tipo de procedimiento de manera innecesaria, muchas veces solo por mantener al día la planificación de partos de un hospital o por facilitarlos y acelerarlos.

Realmente nadie discute la utilización de una cesárea cuando está justificada (bebé atravesado, parto prematuro, parto múltiple, parto con complicaciones o dificultades específicas de la madre...). Es más, cuando existe un problema real, muchas veces es la única solución y supone la salvación de dos vidas, la de la madre y la del bebé. El debate se centra en la conveniencia de esta técnica en situaciones en que no es imprescindible, comparando sus beneficios con sus riesgos. Y en la desnaturalización del parto, algo tan natural como la vida.

Cuando se programa una cesárea sencillamente porque «es la fecha estimada», no suele tenerse en cuenta lo importante que es, tanto para la madre como para el bebé, esperar el inicio de un trabajo de parto y, fundamentalmente, las contracciones, pues con ellas la mamá se asegura de que su bebé realmente está listo para nacer, y ambos, preparados para tal proceso. La utilización de técnicas quirúrgicas sin motivo médico solo consigue alejarnos de estos métodos y que cada vez sean más frecuentes los partos naturales. Si el parto en un hospital no fuera tan poco natural por detalles como este o la separación del bebé de la madre en algunos de ellos, habría más mamás que confiarían en todo lo bueno que les puede aportar parir en un lugar medicalizado y preparado para cualquier contratiempo.

La única justificación de una cesárea debería ser una clara evidencia de que su práctica es necesaria, ya que causará más beneficio que daño a la mamá y a su bebé. Si tu chica tiene que sufrir una cesárea, no te preocupes; aunque la recuperación es lenta, la operación en sí no es muy complicada, piensa en las miles que se hacen a diario.

- Tener un hijo no es lo mismo que operarse la nariz; el cuerpo de tu chica necesita ponerse de parto y debe hacerlo. Si una vez empezado el trabajo de parto el médico decide practicar una cesárea ante complicaciones de la mamá o del bebé, será por el bien de ambos.

- A veces está claro desde antes que habrá que recurrir a una cesárea debido a las condiciones de la madre o del bebé. En estos casos no tiene sentido esperar a ponerse de parto.

- Esta sociedad va demasiado deprisa y a veces no quiere darse cuenta de que no somos más que una especie animal, muy racional, sí, pero animal. Las cesáreas programadas porque sí y la negativa a amamantar al bebé no causarán en el niño ningún tipo de secuela psicológica, pero la mamá perderá gran parte de lo que significa la maternidad. La paternidad, en cambio, no está unida a ningún cambio ni transformación física, como mucho las canas que nos saldrán, pero será ya cuando el bebé vaya al cole.

Salir corriendo

Ya estáis al final de la cuenta atrás que lleváis esperando tantos meses. Vuestro bebé está a punto de nacer, pero parece que ese momento no termina de llegar nunca. Los días cercanos a la salida de cuentas se os harán interminables.

En cierta manera esta ansiedad ayudará mucho a tu chica, pues las ganas locas que tiene de tener en brazos a su bebé le harán olvidar el miedo al parto y conseguirán que sus recuerdos de ese día se centren más en cuando lo cogió por primera vez que en el panorama del paritorio con las matronas y médicos haciendo su trabajo tras la expulsión del bebé.

De repente llega ese día distinto en el que ella no se encuentra como siempre. Esperáis unas horas por prudencia, pero empiezan a presentarse los distintos síntomas del parto, esos que os sabéis ya de memoria, uno tras otro.

Si tu chica o tú, o ambos, sois algo aprensivos... es más que probable que salgáis corriendo al hospital ante una falsa alarma y os toque volveros a casa porque aún no ha llegado el momento. Esto puede suceder más de una vez. Es mejor estar tranquilos, os ayudará a juzgar la situación con mejor tino. Si empieza a tener contracciones sin otro síntoma asociado, no os volváis locos, lo único que adelantaréis con ir corriendo al hospital es pasar unas cuantas horas más de las necesarias en la sala de dilatación en vez de estar en vuestra casa cómodamente.

Una vez que ya hayáis decidido ir al hospital, nada de correr. A menos que aparezcan otros síntomas, ella puede darse tranquilamente una ducha, verificar que está todo en la maleta que llevaréis al hospital y hacer el trayecto todo lo sosegadamente que le dejen las contracciones.

El trabajo del parto conlleva unos síntomas que es importante reconocer para evitar sustos y desplazamientos en balde. Sí, es posible que os los hayan contado, últimamente, cientos de veces, pero es mejor repetirlos una última, pues con los nervios la memoria se afloja.

Hay signos inequívocos que os permitirán reconocer que se ha puesto de parto: las contracciones son rítmicas, dolorosas y se producen cada cinco minutos durante al menos una hora, o se ha roto aguas. Ante cualquiera de estas circunstancias, deberéis poneros en marcha.

- No dan un premio a la pareja que mejor reconozca los síntomas de parto. Si tenéis dudas acercaros al hospital, es mejor que os digan que todavía no está de parto y que podéis volver a casa, antes de tener que ir con urgencia de verdad por no empeñaros en aguantar horas y horas en casa.

- Si no está de parto poco pueden hacer en el hospital, pero el porqué de no ir antes al hospital es por la comodidad vuestra.

Glosario

Peso estimado. A un feto dentro de la panza de su madre es evidente que no se le puede pesar. El peso estimado se hace tomando en consideración diferentes medidas, como la longitud del fémur, el diámetro biparietal, el perímetro cefálico y el perímetro abdominal. Dado que las mediciones se realizan por medio de ultrasonidos en una ecografía y que es solo una estimación, el margen de error es muy grande, de manera que solo debemos tomarlo como indicador.

Semana **40**

El milagro de la vida

Estaba chupado, si ya lo decía yo

El parto

Ya ha llegado a la semana 40, y, si las estimaciones no fallan, saldrá de cuentas y, muy probablemente, dé a luz. Ahora que ha llegado el momento, quizá sea bueno que repaséis juntos las principales fases del parto: la dilatación, las contracciones y la expulsión.

La fase más larga del parto es la dilatación del cuello del útero. Su duración depende de varios factores; en general, si se trata del primer nacimiento, el cuello se dilata a razón de un centímetro por hora (en posteriores partos lo hará a 2 cm por hora). Así que para que el cuello se dilate por completo y alcance una abertura de 10 cm deben pasar unas doce horas de promedio.

Para que las contracciones uterinas sean eficaces y la dilatación se acelere, ella tendrá que estar atenta a la posición de su cuerpo: que estire la espalda y no la arquee. Lo mejor es que se ponga de lado, con la pierna de debajo estirada y la de encima flexionada. Para soportar mejor las contracciones es el momento de poner en práctica las técnicas de respiración profunda que lleva aprendidas. Las contracciones uterinas no son únicamente un dolor: le ayudarán a terminar de dilatar y bajar al bebé hasta el canal de salida.

Una vez el cuello uterino esté totalmente dilatado y el bebé se haya encajado en la pelvis, será el momento de empezar a empujar. Por regla general, la expulsión solo dura entre 20 y 30 minutos. Probablemente habrán ayudado a tu chica a tumbarse y estará con las piernas separadas y con las pantorrillas apoyadas sobre unos soportes ajustados; también puede que la cama tenga soportes para que ella se agarre. Las contracciones serán cada vez más largas y seguidas. Ahora le tocará empujar, guiada por el ritmo que le marque la matrona.

Fases del parto

El inicio de la humanidad se difumina en la noche de los tiempos. Como puedes imaginar, el parto es algo natural, por lo que el cuerpo de la futura mamá está totalmente preparado. Pero un poco más de luz no te vendrá mal, seguro.

Dilatación I

El útero sufre contracciones y con cada una de ellas se va dilatando poco a poco. Es la fase más larga del parto y no tiene un tiempo específico. En madres primerizas puede ir de 4 horas hasta más de 12. Las primeras contracciones son cortas y bastante espaciadas en el tiempo; esta fase se conoce como «borramiento del cuello», pues tiene como finalidad ablandar y acortar el cuello del útero.

Tranquilidad
Descansar e incluso dormir.
Tomar un tentempié.
Cronometrar las contracciones.
Prepararse para ir al hospital.

Dilatación II

Una vez conseguido esto, empiezan las contracciones más intensas, más frecuentes y más largas. Se hacen rítmicas y son bastante dolorosas. Aquí tu chica debe poner en práctica lo que ha aprendido a lo largo del embarazo y en las clases de educación maternal. Cuando la dilatación esté completa, unos 10 centímetros, empezarán las ganas de empujar. No debe empujar hasta que la dilatación no esté completa.

Trabajo
Ejercicios de respiración.
Relajarse y obedecer a la matrona.
Intentar entretenerse entre contracción y contracción.

Expulsión

Cuando la dilatación ha llegado a su fin, tu chica tendrá muchos deseos de empujar; ahora deberá hacer caso a la matrona y, siguiendo sus instrucciones, utilizar las técnicas de empuje. Con estas contracciones el bebé desciende poco a poco por el canal de parto, hasta coronar. A continuación saldrá la cabeza del bebé e inmediatamente después el cuerpo. Podrás cortar el cordón umbilical y tener al bebé en vuestros brazos.

Empuje
Repirar profundamente.
Empujar con todas las fuerzas cuando lo indiquen la matrona o el médico.

Puede que en esta fase tu chica suelte más de un improperio contra ti; al fin y al cabo, eres uno de los culpables de su situación.

Alumbramiento

Cuando ha acabado la fase de expulsión y se ha cortado el cordón umbilical, se expulsa la placenta mediante contracciones pequeñas y poco dolorosas.

Relax
Disfrutar del bebé.

En cada contracción ha de estar muy atenta a su respiración, así como a contraer los abdominales a la vez que relaja el perineo. El empuje debe ser lo más largo posible para permitir que el bebé avance de forma continua. Cuando su pequeño cráneo asome por la vulva, ya será solo cuestión de minutos...

¡Ánimo! Quizá tenga que hacer un último esfuerzo... y unos segundos después, ya estará vuestro hijo en el mundo.

Y así será más o menos el parto de vuestro bebé; ninguno es igual, por lo que algo variará, seguro. Puede que a tu chica le cueste algo más dilatar, o quizás menos. También puede que, si le han administrado la epidural, no sienta mucho su cuerpo y el trabajo de empujar sea mucho más complicado. Puede que necesite la episiotomía o que incluso el bebé tenga que salir ayudado por espátulas, fórceps o ventosa, o puede que sea todo lo contrario: sin darse cuenta y en tres horas todo está listo.

Cada parto es un mundo, pero si habéis llegado hasta aquí con tu chica y el bebé en buenas condiciones, es para daros la enhorabuena. Es hora de estar con ellos, la artífice de este milagro y el milagro en sí.

- El parto no acaba en sí con el nacimiento. Una vez que el bebé ha nacido, ella volverá a sufrir unas contracciones que provocarán, unos 20 minutos después, la expulsión de la placenta. Esto es lo que los médicos llaman «alumbramiento». Generalmente, esta última fase del parto es indolora.

- Si el parto no ha tenido complicaciones, la recuperación de tu chica será muy rápida, pero ahora déjala dormir, lo necesita.

Todo preparado

¿Tenéis ya preparada la bolsa para llevar al hospital? La fecha estimada para el parto se acerca y es hora de repasar si tenéis ya todo dispuesto.

Documentación que se ha de llevar al hospital:
- La tarjeta de la Seguridad Social o la de la sociedad médica privada y los resultados de los análisis y pruebas médicas si no los tuvieran ya.
- El plan de parto.

Para el bebé:
- Tres o cuatro bodies o pijamas de manga larga, patucos, guantes, gorrito, en fin...
- Un neceser con sus productos de aseo: esponja natural, jabón, toallitas, una toalla de algodón y pomada para el culito.

Para tu chica:
- Varios camisones.
- Ropa interior que pueda desecharse.
- Unas zapatillas, una bata.
- Sus productos de aseo y de cosmética.

Para ti:
- Teléfonos y cargadores.
- Monedas y más monedas.

- Piensa que si tu chica se pone de parto fuera de casa, puede que tengáis que enviar a alguien a por la bolsa a vuestra casa. Tenedla siempre a la vista y preparada en las últimas semanas: es mucho más sencillo decirle a tu hermano que coja la bolsa violeta de encima de la silla que tener que contarle dónde está cada cosa y confiar en que no olvide nada.

- Ella necesitará dormir, pero a ti quizás te venga bien un libro para la primera noche.

Los primeros momentos

A tu chica ya le han contado cómo suele transcurrir el parto, pero ¿y después qué? Tras dar a luz, pasará ingresada unos días, tiempo que dependerá de varios factores: el tipo de parto, los protocolos del centro hospitalario, su estado de salud y la del bebé, etc. En general, la permanencia media en el hospital es de dos a cinco días.

Después de un parto normal y sin complicaciones, tu chica y vuestro recién nacido serán sometidos a diversos controles para verificar su estado de salud. En sus primeras dos horas de vida es probable que vuestro bebé sea limpiado, pesado, tallado y explorado. Si a ella no le han administrado anestesia, la subirán a la planta junto a su bebé, a una habitación individual o compartida, según el centro donde estéis, y enseguida le llevarán al bebé.

Durante estos días de estancia hospitalaria, el equipo médico estará pendiente de la evolución tanto del neonato como de su mamá, extremando cualquier tipo de cuidado para prevenir la aparición de complicaciones y realizando diversas pruebas.

El primer día con el bebé puede que sea desconcertante; quizá resulte como había soñado durante todo su embarazo, pero también puede que los sentimientos que la embarguen no sean exactamente como los había imaginado. Ante todo, que no se preocupe, estará tremendamente cansada después del parto, y precisamente el ambiente hospitalario no es el lugar más acogedor. Quizás le entren ganas de llorar. Es una reacción perfectamente normal debida tanto al bajón hormonal como al relajo después de tanta tensión y esfuerzo.

Apoyaos en estos momentos y evitad que las visitas os agobien u agoten, ni a vosotros ni al bebé. Ya habrá tiempo para presentaciones sociales, abrazos, regalos, felicitaciones y enhorabuenas. Estos primeros momentos son para vosotros, así que procurad disfrutar de ellos y de vuestro esperado bebé.

Seguramente ella esté intentando dar de mamar al bebé, pero entre que no sabe, que tal vez no tenga leche aún y que el bebé cuenta con poco más que su instinto, no será fácil. Además, el bebé tendrá hambre, pero todavía no sabrá o no se podrá saciar, por lo que estará lloroso a ratos, y claro, no es lo mismo imaginarlo que oírlo. El bebé llora y tu chica apenas se puede levantar.

Te toca, al menos los primeros días, suplir a tu compañera de viaje en muchas tareas y, en el resto, tratar de ayudarla. Aquí empieza lo bueno: ya tienes al bebé en brazos, ya sientes la responsabilidad y el orgullo por igual. Esto es parte de ser padre, nadie dijo que fuera a ser cómodo ni fácil. Eso sí, compensa.

- El test de Apgar se utiliza para evaluar el estado del bebé nada más nacer. Se realiza en cuanto nace y se repite a los cinco minutos. La comadrona comprueba estos cinco parámetros: el latido del corazón, la respiración, el tono muscular, los reflejos y el color de la piel del bebé, puntuando cada parámetro entre 0 y 2, y el resultado del test es la suma de las cinco puntuaciones. La puntuación ideal es entre 8 y 10; un resultado de 7 es normal, y también se acepta una nota inicial menor siempre y cuando se recupere en la segunda comprobación. Un bebé cuyos valores resulten inferiores a 5 necesita asistencia médica de inmediato para adaptarse a su nuevo ambiente fuera del útero materno.

El bebé en sus primeras semanas

El bebé ya está aquí y viene para quedarse. Después de todos los nervios que has pasado en el parto, por fin puedes tener al bebé en tus brazos. Ha recorrido un largo viaje desde la fecundación, por lo que ahora es mejor dejarle dormir junto a su madre...

Como habrás podido comprobar, en sus primeras horas de vida el bebé pide muy poco, lo imprescindible para vivir. El problema es que tú estás terriblemente cansado, y tu chica, más aún, además de sentirse como si la hubieran linchado en medio del lejano oeste.

En pocos días empezaréis a tener vuestra rutina propia los tres juntos, y en ella puede que te venga bien la información que encontrarás en las siguientes páginas. Pequeños consejos para entender a la mamá y al bebé y para ayudarlos.

Recién parida

¿Es normal sangrar tanto?

Después del parto, tu chica sangrará durante aproximadamente dos o tres semanas. A esto se le llama «loquia», que es fundamentalmente la forma que tendrá el cuerpo de expulsar el exceso de sangre, mucosidad y tejido placentario que haya quedado como remanente de su embarazo.

Su color al principio es rojizo; a medida que pasen las semanas tanto la textura como el color se irán suavizando, del rojo al rosa, hasta llegar paulatinamente a tener un color amarillento. La cantidad de flujo también se reducirá y se volverá más claro a medida que el tiempo pase.

Es muy importante que la madre se cuide bien durante este período postparto para no alargarlo más de lo necesario y evitar posibles infecciones. Las hemorragias postparto pueden llegar a causar significativas pérdidas de sangre que entrañan una cierta gravedad.

Estoy fatal de lo mío

Si tu chica tiene alguno de estos síntomas, debería ir inmediatamente a urgencias del hospital más cercano:

- Empapar totalmente la compresa en menos de una hora.
- Percibir un olor llamativamente desagradable en sus descargas.
- Expulsar unos coágulos sanguíneos como pelotas de ping-pong o mayores.
- Sentirse excesivamente débil y mareada con sangrado abundante.

Es clave que procure estar relajada durante estas primeras semanas para darle a su cuerpo el tiempo, las condiciones y los cuidados necesarios para recuperarse.

Le duele la vida

Tras haber dado a luz, suelen aparecer una serie de dolores y molestias con los que quizá tu chica no contaba. En general pueden durar entre una y varias semanas, aunque realmente dependerán de cada mujer y de las circunstancias de su parto, entre otros factores.

Es totalmente lógico que tras el enorme esfuerzo que se ha hecho durante el embarazo y el parto el cuerpo se resienta hasta que vuelva a su ser. Aparte de los loquios y las molestias que conllevan, probablemente aparezcan los famosos «entuertos», que no son otra cosa que unas fuertes contracciones cuya función es retraer el útero para que recupere su tamaño habitual. Por suerte, duran solo unos segundos y luego desaparecen.

Las zonas de las cicatrices, tanto de la episiotomía como de la incisión de la cesárea, también son bastante dolorosas en los primeros días, y luego habrán de cuidarse de manera especial. En los partos vaginales, la distensión de los músculos del canal del parto suelen dejar pequeñas laceraciones que pueden ser muy molestas. Los dolores en la zona perineal son frecuentes incluso en las mujeres que no hayan sufrido una episiotomía. El estiramiento muscular y de la mucosa vaginal deja la zona dolorida por algunos días provocando un cierto malestar.

Se mea sola

Uno de los padecimientos más frecuentes durante el embarazo es la incontinencia urinaria, que, habitualmente, desaparece después del parto, aunque, por desgracia, no de manera inmediata sino unos cuantos meses después.

El parto es un acontecimiento muy lesivo para el suelo pélvico que puede afectar a los músculos, ligamentos y nervios y, como consecuencia, a su funcionalidad en el postparto, lo que suele conllevar problemas de incontinencia urinaria. Por otro lado, en el postparto la musculatura abdominal se encuentra distendida y puede haber pérdida de tono muscular. Ambas estructuras, sistema muscular del abdomen y del suelo pélvico, son necesarias para garantizar la continencia, por lo que si se alteran sus funciones, aumentan los riesgos de pérdidas de orina.

En general se diferencian dos tipos de incontinencia urinaria: la de urgencia y la de esfuerzo. En la primera es la contracción involuntaria de la musculatura de la vejiga la que provoca la salida de la orina en un momento y lugar inadecuados. La segunda se produce al realizar algún esfuerzo que aumente la presión, ya sea levantar peso o echarse a reír.

Frente a ambos tipos de pérdida hay una serie de ejercicios recomendados con el fin de que el cuerpo vuelva a funcionar como antes.

Para eliminar las contracciones involuntarias del músculo de la vejiga se propone el entrenamiento vesical, que consiste en retrasar progresivamente el vaciado de la vejiga de modo que se retrase poco a poco el deseo de orinar hasta conseguir retenerlo lo suficiente para poder hacerlo en un lugar adecuado.

Los famosos ejercicios del suelo pélvico o de Kegel serán los que, por su parte, ayudarán a recuperar el tono muscular de las estructuras pélvicas. Es importante que tu chica aprenda a realizar la contracción del músculo y tome conciencia de ella porque el músculo que se trabaja es el mismo que hay que contraer para cortar la micción mientras se produce.

En general, la incontinencia es una situación en la mayoría de los casos reversible, ya que solo con volver a entrenar estos músculos se podrá volver a recuperar el control. Eso sí, hay que echarle mucha paciencia hasta tomar el poder otra vez.

No puede ir al baño

El estreñimiento y las hemorroides son dos de las molestias típicas que siguen al parto, y puede que tu chica tenga que lidiar con las dos. Las hemorroides aparecen generalmente debido a la tensión sufrida en la zona anal durante el embarazo y el parto, y el estreñimiento podría ser más agudo si se aplicó un enema antes del parto.

Parece que la mujer padece estreñimiento en la gestación a causa de los cambios hormonales sufridos, que le ocasionan elevados niveles de progesterona, sumados a la compresión del útero, que ha crecido, sobre el intestino. Ambos factores hacen más difícil la deposición. Si además sufría de estreñimiento previamente, este se intensificará durante la gestación y el postparto debido a que los cambios hormonales del embarazo persisten hasta seis semanas después de dar a luz.

Otro de los problemas más frecuentes entre las nuevas mamás, asociado directamente al estreñimiento, es la aparición de hemorroides debido a la tensión sufrida en la zona durante el embarazo y el parto. Estas duelen más durante el postparto debido a los puntos de la episiotomía y al esfuerzo realizado para dar a luz. Aunque se debe tratar de evitar el estreñimiento, no conviene en absoluto realizar demasiados esfuerzos para defecar, ya que provocarían una tensión excesiva sobre la episiotomía. Es preferible recurrir a algún tipo de laxante en caso necesario. Cuando el estreñimiento sea especialmente duro y prolongado, se pueden utilizar supositorios o microenemas, todo siempre bajo prescripción y supervisión médica, especialmente si se está con la lactancia materna.

Para evitar recurrir a los fármacos, se recomienda una dieta con alto contenido en fibra, así como beber mucho. Y una gran dosis de ánimo.

Está llena de puntos

La episiotomía es una incisión quirúrgica que se realiza en la zona del perineo y cuya finalidad es ampliar el canal de parto y reducir el tiempo y las dificultades de expulsión. Tras el nacimiento del bebé y la posterior sutura de la incisión, es necesario tener en cuenta que la cicatriz requiere cuidados especiales.

En el caso de que tu chica haya sufrido esta intervención, es recomendable que tenga en cuenta los siguientes consejos para aliviar las molestias.

- Se recomienda realizar un lavado genital durante la hora del baño y, además, a lo largo del día, unos dos o tres aseos más de la zona utilizando agua y jabón con un pH neutro.
- El lavado ha de realizarse siempre desde la vagina hacia el ano para evitar arrastrar gérmenes que podrían provocar una infección.
- La limpieza ha de ser superficial para no dañar la flora microbiana propia de la vagina. Esta flora es una barrera natural contra las infecciones.

• Tras el lavado, hay que secar a conciencia y evitar la humedad, dado que es un factor que propicia la proliferación de gérmenes u hongos.

Con una herida en plena curación en una zona tan sensible y delicada como esa, ella tiene que tener mucho cuidado con los esfuerzos que realiza. Debe evitarlos, y, en caso de padecer estreñimiento, lo mejor será que consulte con su médico para que le recomiende el mejor tratamiento.

Sentarse también podría resultarle molesto, por lo que ha de hacerlo con cuidado, abriendo un poco las piernas, bajando despacio hasta el asiento y sacando las nalgas hacia fuera. Hay mujeres que agradecen el uso de «flotadores de hemorroides».

Por lo general, estos cuidados mínimos son suficientes para que la herida de tu chica sane. Si siente mucho dolor o incomodidad, tiene fiebre o de su cicatriz emanan secreciones u olores fuertes y extraños, ha de acudir al médico de inmediato, ya que podría ser una señal de infección. Ante todo, ha de ser consciente de que tiene una herida con puntos y

que cualquier infección o desgarro podría provocarle grandes dolores y una recuperación más lenta. Si la limpia, cuida y atiende adecuadamente, la herida causada por la episiotomía puede sanar en unas cuatro o seis semanas.

La cicatriz de la cesárea

Si el parto ha sido por cesárea, es habitual quedarse de dos a cuatro días en el hospital antes de irse a casa, pero la recuperación tardará aún varias semanas, por lo que durante este período tu chica necesitará toda la ayuda del mundo para poder encontrarse bien pronto y atender y disfrutar de vuestro bebé.

En los días posteriores a la cesárea, es probable que note la zona adormecida y dolorida, y que sienta que la cicatriz está algo hinchada, con una coloración más oscura que el resto de su piel. Dar de mamar al bebé puede resultarle muy complicado debido al dolor causado por la herida que está cicatrizando, y también podría sentir un cierto malestar por la acumulación de gases y notarse hinchada los primeros días debido a que sus intestinos están perezosos después de la intervención quirúrgica. Todo un cuadro.

Durante las primeras semanas tu chica puede sentir dolor al toser, estornudar, reír y hacer cualquier movimiento que ejerza presión sobre el abdomen. Le aliviará sujetarse el vientre con las manos o una almohada cuando vaya a reírse o toser. Es también recomendable que orine con frecuencia, ya que la vejiga llena ejerce más presión sobre la herida.

La cicatrización de una herida abdominal no siempre es fácil, y cada cuerpo es diferente: algunas pieles cicatrizan muy bien y otras no tanto. La evolución de una cicatriz sin complicaciones suele dar lugar a una línea de tono rosado y sin relieve; sin embargo, algunas mujeres pueden desarrollar lo que se denomina «queloides». Este crecimiento anómalo de la piel cicatrizada provoca un engrosamiento del tejido y puede doler o picar.

Una vez hayan pasado unas semanas, es recomendable realizar masajes con aceite de rosa mosqueta en la zona, pues la harán más flexible y atenuarán el dolor y tirantez que puede provocar realizar ciertos movimientos. No es recomendable que le dé el sol en la zona hasta pasados al menos seis meses desde la intervención.

Si bien es aconsejable que la mamá descanse todo lo que pueda una vez que esté en casa, es necesario que se levante de la cama y camine con cierta frecuencia pero sin excederse. Ha de empezar a moverse despacio e incrementar su actividad de forma gradual. Dado que está en plena recuperación de una importante cirugía abdominal, su musculatura abdominal y su piel estarán doloridas por algún tiempo.

Si tiene alguno de estos síntomas, ha de acudir rápidamente a su médico:
- La zona de la incisión está caliente, muy roja, hinchada o supura.

- El dolor empeora o aparece de una forma repentina.
- Tiene fiebre.
- Nota que su flujo vaginal huele fuerte y mal.
- Siente dolor o ardor al orinar.

La recuperación de la mujer tras la cesárea es lenta y laboriosa. Hay que tener muy claro que se trata de una intervención quirúrgica y que debe recuperarse con mucho mimo y paciencia. Trata de que esté relajada y ayúdala en todo lo posible.

Parece que sigue embarazada

Quizás tu mujer esté entre sorprendida y agobiada al ver cómo ha quedado su vientre después del parto. Vuestro bebé ya no está en su barriga, pero ahora en su lugar hay algo parecido a un enorme balón flácido que hace que parezca que aún está de siete meses, y además lleno de una maraña de estrías y quizá con una cicatriz....

Calma. Le llevará tiempo a su cuerpo, y en especial a su vientre, recuperarse por completo del embarazo. La paciencia es clave. Si su barriga tardó nueve meses en estirarse para alojar a un bebé, parece razonable que necesite al menos ese tiempo, o quizá más si lleva a cuestas el trauma de una operación quirúrgica, para recuperar la firmeza que tenía antes del embarazo.

A partir del nacimiento del bebé, los cambios hormonales que sufrirá la nueva mamá harán que la parte central de su abdomen disminuya su tamaño hasta parecerse al estado previo al embarazo. Su útero tardará en torno a un mes en recuperar su tamaño original. Las células de su cuerpo empezarán a liberar líquidos en forma de orina, secreciones vaginales y transpiración. Y la grasa extra acumulada para nutrir al bebé comenzará a quemarse. Pero tendrán que pasar algunas semanas antes de que empiece a percibir los resultados.

Está comprobado que el amamantamiento y el ejercicio, esto es obvio, ayudan a quemar calorías adicionales, pero antes de empezar una rutina de ejercicios hay que estar muy segura de que el cuerpo está preparado. Otra cosa será, además, encontrar tiempo para ello...

Una dieta baja en calorías también puede ayudar, pero ante todo lo mejor es concederle tiempo a la sabia naturaleza para que todo vuelva a estar como antes. Además, si se está amamantando, se debería esperar al menos medio año antes de reducir calorías, ya que ello podría disminuir la producción de leche y provocar un mayor cansancio.

En cuanto a las estrías, generalmente se vuelven menos evidentes a partir de los seis meses posteriores al nacimiento al adoptar un tono algo más claro que la piel de alrededor.

Lo cierto es que algunas mujeres, por su metabolismo, recuperan la figura enseguida; sin embargo, lo normal es que el proceso de reducir abdomen dure de unos meses a un año. Paciencia y comprensión; el cuerpo tiene sus ritmos, y con todo lo que tiene que atender y disfrutar ahora tu chica, supone un desgaste de energía innecesario que se esté preocupando por esto.

La tendrás que oír quejándose, pero no le des importancia; quizás si tú lo haces, ella también le quitará importancia.

¿Y el sexo para cuándo?

Querida familia, ya habréis visto que con la llegada de vuestro bebé a casa todo ha cambiado, incluso el sexo. Una de las preguntas que os rondarán por la cabeza será cuándo

sería normal, o se podría, reanudar la actividad sexual con penetración. Fundamentalmente, cuando a ambos os apetezca... Pero es bueno tener en cuenta algunas recomendaciones.

Es aconsejable que esperéis un mínimo de seis semanas, es decir, que la mamá pase el período denominado «puerperio» o «cuarentena». En realidad, este período de margen tras el parto se refiere exclusivamente al sexo con penetración, puesto que las relaciones eróticas sin coito podríais empezarlas cuando el cuerpo y las ganas os lo pidan, y quizá aquí habrás de ser especialmente comprensivo.

Después de nueve agotadores meses de embarazo y el trabajo de parto, el cuerpo de tu chica necesita recuperarse. Esto es algo evidente. A esto hay que sumar el cansancio y desgaste de energía que implica atender continuamente al recién nacido, sus cambios hormonales y la falta de sueño, en especial durante las primeras semanas, por lo que puede que ella no esté ahora precisamente para «muchos bailes».

Aunque los factores físicos son los más evidentes, a ellos han de sumarse los factores de tipo emocional. Al margen de los sentimientos de ansiedad, depresión y angustia tan comunes después del parto, la nueva madre podría quizá sentirse poco atractiva e insegura por los cambios que ha atravesado su cuerpo. La mejor receta: comunicación, cariño y comprensión.

También tú, como papá, puedes sentirte algo extraño con la nueva situación de padre y amante, o desplazado y celoso de la criatura. También es importante que le des espacio y cabida a ver qué emociones y sentimientos se cruzan en tu interior. No es lo habitual, pero a alguno habrá que le pase.

Como cada pareja es única, está en mano de cada una ver cuál es su mejor momento para retomar esta placentera actividad. En cualquier caso, es bueno que tengas en cuenta que las primeras relaciones con penetración después del parto podrían resultar dolorosas y molestas para la mujer, que probablemente además experimente sequedad vaginal. Aunque es absolutamente normal e irá desapareciendo poco a poco, quizá le pueda apetecer más una experiencia erótica no coital, que no implique dolor. Es igual o más placentera y probablemente menos incómoda en el postparto. Si optáis por el coito, usad un lubricante a base de agua. ¡Y no descuidéis la protección!

La depresión postparto

Muchas mujeres, aproximadamente una de cada dos, se sienten llorosas y desanimadas en el tercer o cuarto día tras el parto; es lo que se conoce como «depresión puerperal». Parece debida, entre otros factores, a la carga emocional, y desaparece pronto y sin tratamiento.

Otra cosa diferente es lo que se conoce como «depresión postparto» (DPP), que,

lamentablemente, es una de las enfermedades más frecuentes tras dar a luz y que si no se trata adecuadamente puede persistir durante meses e incluso años.

La depresión postparto consiste básicamente en el desarrollo de una depresión en la madre tras el nacimiento de su hijo. A veces esta depresión puede tener una fácil explicación, ya sea porque el bebé no era deseado o porque tiene alguna enfermedad grave; sin embargo, en la mayoría de las ocasiones la depresión parece no tener sentido.

Aunque se cree que esta depresión maternal tiene relación tanto con cambios hormonales y físicos como con la nueva responsabilidad de la mamá, la verdad es que sus causas no están claras y, desafortunadamente, con frecuencia ha sido mal diagnosticada.

Es tan habitual que la madre sufra cambios emocionales durante el período postparto que estos comportamientos cambiantes y estos sentimientos ambiguos se han llegado a considerar normales, de modo que no se los toma en serio. Además, a menudo, son considerados totalmente inapropiados –«¿cómo es que no está feliz con su bebé?»– y están penalizados por la sociedad: «es una mala madre» o «no tiene instinto maternal»... Por eso muchas mamás ocultan lo que les pasa y se sienten solas, incomprendidas, culpables y angustiadas.

La realidad muestra que uno de los momentos más felices en la vida de una mujer, el nacimiento de su hijo, puede convertirse para muchas de ellas en lo contrario. Por desgracia, muchas de las madres que acaban de dar a luz viven esta angustia, que, junto a un sentimiento intenso de culpabilidad, las lleva a ocultárselo a su pareja y familia por temor al rechazo y la incomprensión.

Es importante que, si notas que tu chica está más deprimida de lo normal, la invites a hablar de ello y a compartirlo, lo normalicéis y busquéis, en caso necesario, la ayuda profesional y tratamiento que pueda requerir este cuadro depresivo para que pueda superarlo lo antes posible.

Lactancia

La postura del bebé

Si tu chica nunca ha amamantado a un bebé, es más que probable que no tenga ni idea de cómo tiene que colocarse... Y esta es una de las cosas que tendrá que aprender cuanto antes, ya que será fundamental para el bien de ambos.

Ante todo, que tenga paciencia, pues, como todo, requiere su práctica. El enganche del bebé puede resultar incómodo durante los primeros momentos, pero después dejará de doler. Si duele, seguramente es que no se ha colocado al bebé en una posición correcta. En ese caso, lo mejor es detener la succión introduciendo suavemente un dedo en la boca del bebé para liberar el pezón, tomarse unos minutos y luego volver a intentarlo.

Es muy importante conseguir la postura correcta para evitar tanto los molestos dolores en la espalda como las dolorosas grietas en el pezón. Sea cual fuere la posición que la madre escoja, siempre debe ser el bebé el que se acerque al pecho y no al contrario.

Para calcular la altura a la que ha de quedar la cabecita del bebé, hay que colocarle de modo que, cuando tenga la boca cerrada, la nariz le quede a la altura del pezón. Así, una vez abra

la boca, aunque la nariz esté cerca del pecho, sus orificios nasales quedarán libres para que pueda respirar bien. Sus encías estarán sobre la areola, cerradas alrededor del pezón. En general, esta posición les resultará cómoda a los dos.

Respecto a la posición de ambos cuerpos, hay varias posturas recomendadas según cada bebé y cada mamá; lo mejor es que tu chica vaya probando las diferentes posiciones hasta dar con aquella con la que tanto vuestro hijo como ella se sientan a gusto y le puedan sacarle el mayor provecho a la toma.

Una de las posturas más habituales consiste en sentarse con los pies en alto y sujetar al bebé con el antebrazo por la zona del culete. Otra, ideal para las noches o cuando la mamá esté algo más cansada y prefiera estar recostada, es tumbarse y poner al bebé sobre sí, barriga con barriga, sujetándole con uno de los brazos. También, aunque es menos habitual, puede sentar al bebé encima de ella e introducir el pezón en su boca para estimular la succión.

Siempre que pueda, es mejor que la madre amamante al bebé antes de que esté demasiado hambriento y haya comenzado a llorar. Cuanto más tranquilo se sienta el pequeño, más fácil le resultará. Aunque cada bebé es diferente, en general todos los recién nacidos necesitan alimentarse con frecuencia, entre 9 y 12 veces al día durante las dos primeras semanas.

Si tu chica tuviera algún indicio de que el bebé no está recibiendo suficiente alimento, lo mejor será que acuda al médico o a la matrona. No es tan inusual que la mamá pueda tener dificultades con la lactancia los primeros días, pero reducir su nutrición en estos momentos podría ser peligroso; mejor pedir ayuda a tiempo.

Sus pezones están irritados

Es muy habitual que durante los primeros días de lactancia algunas mujeres sientan dolor en los pezones y areolas. Sus pechos están sensibles, y ellas aún están aprendiendo a encontrar la forma más cómoda para colocarse con sus bebés.

Si esto le está sucediendo a tu chica, ha de saber que estas molestias deberían disminuir a medida que sigue amamantando, más o menos durante las primeras dos semanas. De no ser así y convertirse en un dolor intenso y una fuente de irritación constante, lo mejor es que lo consulte con su médico porque pueden ser varias las razones que lo expliquen.

Si sus pezones estuvieran muy agrietados, con sangre o con ampollas, lo primero que tendría que hacer sería descartar una infección.

En la mayoría de los casos, la irritación viene causada por la posición en que se está amamantando al bebé, que no es correcta, o porque él no sabe succionar. Las malas posturas provocan que los pezones se enrojezcan, se amoraten e incluso se agrieten; también cabría la posibilidad de que el bebé no esté succionando correctamente, por lo que tendríais que enseñarle a hacerlo con los dedos.

Pero si sus pezones irritados no se curasen después de corregir la postura de amamantamiento, una vez confirmado que el bebé succiona bien y descartada cualquier infección, ello podría significar que uno de sus conductos mamarios se ha quedado taponado donde se abre hacia el pezón. Aunque las compresas calientes pueden ser de ayuda, si en unos días no hay mejoría, habrá que consultarlo con un especialista. Un remedio casero y natural para calmar la irritación de los pezones son los masajes suaves de caléndula, cuyas propiedades cicatrizantes y antiinflamatorias ayudarán a hidratar sus pezones. Es recomendable darse buenos masajes en pezones y areolas entre las tomas. También es aconsejable utilizar sujetadores de lactancia amplios y, en general, procurar tener la zona ventilada el mayor tiempo posible.

En caso de que la mamá haya llegado al punto de que sus pezones le duelan demasiado como para dar de mamar, lo mejor es que deje que uno o ambos descansen y sanen y extraiga la leche de forma manual o con un sacaleches. La lactancia con dolor puede llevar a la madre a abandonarla antes de lo que quisiera; así que atender estas dolencias a tiempo puede ser muy beneficioso.

Se le sale la leche a chorros

En las primeras semanas posteriores al parto un gran número de mujeres padece hiperlactancia o superproducción de leche, es decir, sus mamas producen más leche de la que necesita el bebé, lo que puede provocar que la lactancia sea realmente incómoda, además de conllevar ciertos inconvenientes tanto para la madre como para el hijo.

Si le está sucediendo a tu chica, habrá observado que sus pechos tienen un goteo o derrame constante de leche, no solo durante las tomas al cambiar al bebé de lado sino en el momento más inesperado. Además puede sentir los pechos hinchados y un cierto dolor.

En general esta hiperproducción disminuirá gradualmente a medida que la madre se sincronice con las necesidades de su bebé. Que la naturaleza es sabia, después del nacimiento de un hijo, nadie puede dudarlo, pero en este caso nos lo volverá a demostrar.

A lo largo de las primeras semanas después del parto, la leche está controlada por las hormonas, que comienzan a producirla ante la inminente demanda de alimento por parte de su bebé. Por eso la mayoría de las mujeres producen más leche de la necesaria durante este primer período. Pero, a medida que pasen las semanas, su cuerpo empezará a producir únicamente la cantidad de leche que su bebé tome de él, y sorprendentemente, en la mayoría de los casos, el suministro de la madre y las necesidades de su hijo se regularán casi a la perfección.

Como la naturaleza, además de sabia, tiene sus ritmos, para facilitar esta adaptación es aconsejable que la madre alimente al bebé con un solo pecho en cada toma y que nunca vacíe completamente sus pechos para aliviarse,

pues ello estimularía de nuevo la producción de leche.

Si pasa el tiempo y no mejora la situación, lo más conveniente será que la mamá acuda a un especialista para que le dé las pautas necesarias y solución a su caso, ya que hay mujeres que nunca llegan a sincronizarse con sus bebés.

No debemos olvidar que una interesante opción es contactar con un banco de leche; así el excedente de leche podría aprovecharse y ser utilizado para alimentar a bebés prematuros o con problemas de nutrición. Teniendo en cuenta lo que tú la has cuidado durante los últimos nueve meses, seguro que tiene la mejor leche en decenas de kilómetros a la redonda.

El fantástico sacaleches

El sacaleches es un invento bastante interesante para el período de lactancia no solo por la libertad que brinda a la madre para hacer algo más que alimentar a su bebé, sino porque, al permitir echar la leche en el biberón, otra persona, o tú, puede darle de comer a vuestro hijo.

Los motivos que llevan a utilizar un sacaleches pueden ser muy variados (laborales, salud, comodidad, forma de entender una crianza compartida...), ya que la necesidad de vaciar los pechos depende de cada madre e hijo y su circunstancia. Su característica fundamental es la de posibilitar un cierto control sobre la lactancia, sin dejar de utilizar la beneficiosa leche materna. Obviamente, el uso del sacaleches está sujeto a la producción de leche, que viene determinada a su vez por los horarios de comida del bebé.

Una de las primeras cosas que hay que detenerse a pensar antes de optar por el sacaleches y elegir el más adecuado es qué uso se le va a dar. En el mercado en la actualidad hay una gama muy variada de modelos, tanto manuales como eléctricos, por lo que habrá que informarse bien antes de decidir.

- Los sacaleches manuales son fáciles de usar, limpios, silenciosos y económicos. Mediante el uso de una palanca la mamá controla la presión sobre el pecho. Se pueden utilizar sobre un pecho mientras el bebé mama del otro, o poner un sacaleches en cada uno o un pecho después de otro.
- Los sacaleches eléctricos son menos discretos por el ruido de su motor y algo más caros que los manuales. Los simples se usarán sobre un solo pecho, pero también los hay dobles para ser utilizados sobre las dos mamas simultáneamente. En ellos la mamá regula la presión sobre el pecho mediante una ruedecilla.

Dentro de los eléctricos, la gama es amplísima. Puede que a nosotros nos haga gracia el electroestimulador y cosas similares, pero tienen su importancia. En todos los casos ha de tenerse especial cuidado con su limpieza e higiene,

La electroestimulación de los sacaleches eléctricos es la bomba

tanto por el contacto directo con la leche que va a tomar el bebé como por la piel sensibilizada de la madre.

Si tu chica se decide a usar un sacaleches, al margen del sistema que escoja, ha de saber que en las primeras ocasiones en que lo utilice es normal que no consiga que le salgan más de cuatro gotas; pero que no se desanime: con paciencia y un poco de práctica conseguirá, paulatinamente, vaciar completamente sus pechos.

Elegir una leche artificial

Si por alguna razón, ya sea una elección personal, por enfermedad u otros motivos, tu mujer no ha iniciado la lactancia materna o va a suspenderla pronto, tendréis que empezar a dar a vuestro bebé lo que se denomina «leche artificial» o leche de fórmula.

Aunque está demostrado que la leche materna es la mejor fuente de nutrientes para el bebé, hay circunstancias que conducen a descartarla, por lo que la leche de fórmula es una estupenda opción alternativa. Estas leches están preparadas para cubrir sin problema las necesidades nutricionales de los lactantes, por lo que no debéis preocuparos, aunque os resultará difícil no abrumaros ante la inmensa oferta de fórmulas diferentes que existe en el mercado.

Una de las primeras cosas que tenéis que distinguir es lo que se denominan «leches de inicio», que son las que están pensadas para los bebés menores de 5-6 meses, y las «leches de continuación», que cubren el período desde los 6 hasta los 12-15 meses. Las segundas generalmente tienen una mayor concentración de proteínas y hierro. Ambos tipos de leche están disponibles en tres formas básicas: en polvo, líquida concentrada y líquida para usar. Aparte del formato, también tendréis que conocer el tipo de proteínas que utiliza (vaca, soja u otras) y qué otros ingredientes contiene (hierro, DHA...).

Lo más habitual y extendido, quizás por ser lo más sencillo, es la leche en polvo. Es fácil de transportar, y el hecho de calentar un biberón no entraña problemas para nadie, ni para ti, que entrar a la cocina te da sudores. Solo debemos probarla para constatar que está a la temperatura adecuada para el bebé. Puedes llevar la cantidad necesaria para cada toma ya preparada, y aunque estés en el sitio más recóndito, te será sencillo comprar agua mineral, calentarla y mezclarla.

En cuanto a la fuente de proteínas que utilizan, si bien todas las leches han de cubrirlas, cada una tiene su especificidad y matiza un poco cada necesidad nutricional. Además de las proteínas, estos son los ingredientes principales que ha de llevar toda fórmula: carbohidratos, grasas, vitaminas, minerales y otras sustancias nutritivas.

Existen lo que se denomina «fórmulas genéricas», que, siempre que cumplan con los requisitos nutricionales y sanitarios, únicamente diferirán de las «de marca» en su precio. En cualquier caso, antes de escoger una u otra leche, concededos un momento para leer sus etiquetas, y no se os ocurra agregar vitaminas ni ningún otro ingrediente a la fórmula por vuestra cuenta, podríais poner en serio peligro la salud de vuestro bebé.

Lo más importante que tenéis que saber a la hora de preparar la fórmula es que es fundamental leer y seguir sus instrucciones al pie de la letra. Parece una obviedad, pero cuanto más fácil parece algo, menos atención prestamos a las instrucciones de uso.

El biberón

Bien, aunque quizás os parezca algo sencillo, hay una serie de pautas que tenéis que tener en cuenta a la hora de preparar y mantener los biberones, más cuando es probable que se convierta en una actividad habitual y rutinaria y alguna vez os toque hacerlo con cierta prisa...

Lo primero, antes de preparar el biberón, es la higiene personal, esto es, lavarse muy bien las manos con agua y jabón antes de empezar con la manipulación.

- Calentad el agua, sin que llegue a hervir, para facilitar la disolución del polvo. Es mejor no usar el microondas dado que, al calentar de forma desigual, puede provocar quemaduras accidentales del bebé.
- Echad primero el agua al biberón.
- Añadid después las proporciones que vengan en las instrucciones de leche en polvo. Respetad siempre esa proporción utilizando la cucharita que viene con el bote de leche en polvo.
- Una vez diluida, ofrecédsela al bebé. No os compliquéis: si tiene hambre, se la beberá.

En cuanto al mantenimiento del biberón, es aconsejable cambiarlo si por el uso se han borrado las marcas de medida de leche, ya que así se evitarán posible errores. También es habitual que con el tiempo las tetinas se desgarren por los mordiscos del bebé, así que hay que revisarlas de vez en cuando para tenerlas en perfecto estado. Y no se os ocurra hacer más grandes los agujeros; el tamaño con el que vienen obedece a la capacidad del bebé para tragar; con un agujero mayor podría asfixiarse.

Si es posible, usad agua embotellada y os evitaréis tener que hervirla. La leche se puede preparar sin problema para varios biberones siempre y cuando vaya a tomarse en menos de 24 horas, y hay que guardarlos siempre en el frigorífico.

En cuanto a la higiene, esterilizad con agua hirviendo los biberones antes de usarlos por primera vez y luego podéis lavarlos en el lavavajillas, que mata más gérmenes que cualquier otra cosa, o con agua jabonosa caliente; el esterilizador no es imprescindible; eso sí, aseguraos de que no queda ningún resto de jabón.

Para dar el biberón a vuestro bebé, colocadle en posición semitumbado, recostado sobre vuestro brazo, con cuidado de que no se le vaya la cabeza para atrás. El biberón ha de colocarse de tal forma que la tetina esté siempre llena de leche. No le forcéis para que se lo tome todo: él marcará las pautas de sus necesidades; eso sí, la leche que sobre tendrá que tirarse.

Generalmente, a partir de los 12-18 meses, vuestro bebé ya podrá tomar los líquidos con vaso, por lo que podréis libraros del biberón... Y empezar a lidiar con la cuchara, etc...

¿Si le echo cacao al biberón? No, no, nada de inventos...

Higiene

El meconio y sus primeras cacas

«Meconio» es el termino médico utilizado para referirse a las primeras heces del recién nacido. El meconio es el residuo resultante de la acumulación de desechos fetales que el feto ingiere durante el embarazo. Mientras el bebé va creciendo, estos detritos se van almacenando en sus intestinos desde el tercer mes hasta después de su nacimiento. Lo normal es que el bebé expulse el meconio tras el parto o durante las 48 horas siguientes a su nacimiento.

Después de la expulsión del meconio, que habitualmente será de una o dos veces durante cuatro o cinco días, el bebé comienza a hacer lo que se llaman «deposiciones de transición», que son poco abundantes, muy líquidas y grisáceo-verdosas. Y unos días después comenzará a echar sus primeras cacas.

Y enhorabuena, ¡a partir de este momento entraréis en el fabuloso mundo de las cacas de vuestro bebé...! Las observaréis todos los días tras la pista de cualquier prueba que pueda haceros dudar de la salud de la pequeña criatura. Os haréis unos verdaderos expertos en colores, texturas, frecuencias... De repente dejarán de daros asco, las del vuestro exclusivamente, eso sí, se convertirán en tema de conversación, os preguntaréis por teléfono si ha hecho o no e incluso celebraréis cuando lo consiga en grandes cantidades... Un gran tema para un monólogo.

El cuidado del pene

El cuidado del pene del bebé es un tema que, generalmente, plantea ciertas dudas a los padres y para cuya resolución es básico tener algunos conceptos de anatomía claros, principalmente en lo que respecta al glande y al prepucio.

Como todos sabemos, la parte final del pene se llama glande. Esta zona tiene una capa de piel por encima que se suele desplazar y a la que llamamos prepucio. En la mayoría de los casos, esta piel puede retirarse con facilidad hacia atrás dejando el glande al descubierto sin causar ningún dolor. La fimosis consiste en que el diámetro de abertura del prepucio es tan estrecho que no permite retirarlo completamente hacia atrás, o que al hacerlo duele.

La fimosis generará básicamente dos problemas en el futuro niño: por un lado, la posible acumulación de secreciones entre el prepucio y el glande, lo que provoca una infección que se llama «balanitis», y, por otro, un fuerte dolor en las erecciones o cuando comience su actividad sexual.

Pero ahora estamos hablando de bebés, y es importante saber que la mayoría de los varones recién nacidos tienen fimosis al nacer. Que esta piel no se pueda correr para atrás ahora no significa que el recién nacido padezca alguna enfermedad; lo más probable es que con el paso del tiempo vaya haciéndose más elástico y retráctil.

Para la correcta higiene, conviene retirar el prepucio en el baño un par de veces por semana y enjuagarlo sencillamente con agua para después volver a recubrir el glande antes del secado. El contacto directo con la toalla puede ser muy molesto.

Quizás la primera vez no consigáis bajarle el prepucio entero; en ese caso deberéis ir bajándolo poco a poco a lo largo de las siguientes semanas hasta que no exista dificultad. Manipular el pene al bebé te será más sencillo a ti que a tu chica: pura experiencia. Así que ya sabes, te va a tocar. Otro gran título para tu colección.

Si no hay manera, es mejor llevarlo al médico, que juzgará el estado y nos dirá qué hacer. En otros tiempos el temor a la circuncisión hacía que los padres intentasen «arreglar» el problema pegando un fuerte tirón del prepucio hacia atrás. Esa técnica casera, aparte de ser muy dolorosa para el niño, puede no solucionar en absoluto la fimosis y, en la mayoría de los casos, empeorarla. Por no hablar de la sangre que saltaría y de la madre corriendo, gritando y echando espumarajos por la boca hacia tu persona. Y es que el papel de padre es mucho más duro de lo que parece.

Si el prepucio no cede, estaríamos ante un caso de fimosis patológica. Aparecen el dolor, la irritación o la imposibilidad para orinar, y entonces quizá sea necesario recurrir a una operación quirúrgica simple que es la circuncisión.

La circuncisión consiste en recortar una parte de la piel que no cede del prepucio para que pueda quedar totalmente liberado el glande, que a partir de entonces quedará permanentemente expuesto. Es una intervención que no debería conllevar especiales complicaciones.

Algunas de las grandes religiones aconsejan la circuncisión. Lo que empezó como una recomendación por higiene es hoy un rito. Si el bebé tiene el pene circuncidado, su higiene será sencilla, ya que solo habrá que enjuagarlo bien con agua templada. Para evitar que el pene se pegue al pañal los primeros días tras la circuncisión, se le puede echar vaselina en la punta, y, una vez haya cicatrizado, se puede mojar la zona sin ningún problema.

En caso de que al bebé se le enrojeciera o hinchara el pene, u orinase menos veces de lo normal, lo mejor será acudir lo antes posible al médico para asegurarse de que no tiene ninguna infección.

Sacarle los mocos

Una de las cosas que no vais a poder evitar en vuestro bebé serán sus continuos mocos... La presencia de mocos es algo tan habitual en los bebés que es mejor acostumbrarse a ellos; es totalmente normal y a priori no implica que esté enfermo ni que precise ningún tratamiento.

Eso sí, será bueno que aprendáis a sacárselos cuando su presencia sea demasiado abundante, puesto que pueden llegar a dificultar su respiración, impedirle mamar, dormir, provocarle tos... y complicarse la situación.

Sacarle los mocos requiere cierta técnica y sobre todo paciencia, pues a ningún bebé ni niño le hace gracia que le anden hurgando en la nariz. El primer paso será quitar los mocos exteriores con un pañuelo suave. A continuación hay que echarle unas gotitas de suero fisiológico en cada agujerito. En caso necesario, podéis ayudaros de una pequeña jeringuilla, aunque es fácil encontrarlo en cómodas monodosis. Preferentemente, tumbadle de lado que no se trague las mucosidades.

¿Los mocos? Por fin algo que se me da bien

Existen en el mercado unos útiles aparatos que os facilitarán tremendamente la labor, como el aspirador nasal de cánula, que es lo que mejor funciona cuando el bebé es pequeño. Tras el suero fisiológico, se coloca un extremo de la cánula (un tubito de plástico flexible) en uno de los agujeros del bebé y desde el otro extremo el adulto ha de aspirar suavemente como con una pajita. Automáticamente, las secreciones quedarán retenidas en un pequeño recipiente en el tubo. Lo de aspirar suavemente depende desde luego de la resistencia del moco a abandonar su morada. Evidentemente tenemos que vigilar que no hagamos mal al bebé, pero prepárate para hacer funcionar tus pulmones a pleno rendimiento.

Es importante que el bebé esté hidratado y que el ambiente no esté reseco, para lo cual los humidificadores son una buena solución. El vapor de agua que generan se introduce en los pulmones reblandeciendo los mocos que han quedado pegados y facilitando su expulsión.

No hay que obsesionarse y estar a todas horas quitándole los mocos al bebé, ya que podríais terminar provocándole una irritación e incluso una pequeña hemorragia. Los mocos no son otra cosa que un sistema de defensa del bebé ante las innumerables bacterias a las que se expone cada día su joven organismo y que, en su mayor parte, entran por su nariz y garganta con el aire al respirar.

Limpiarle los oídos

Los oídos de los bebés son especialmente delicados. Si alguna vez habéis probado a limpiárselos con un bastoncillo, es mejor que no volváis a hacerlo, ya que lo más probable es que terminéis causándole una lesión.

Sus oídos pueden producir algo de cerumen, pero eso no quiere decir que el oído esté sucio; en general no es necesario limpiarle los oídos al bebé. En caso de hacerlo, únicamente debéis limpiar la parte externa, con muchísimo cuidado, preferentemente durante el baño utilizando algún pañito húmedo.

La cera amarillenta que generalmente vemos en los bebés tiene una función protectora y por eso no se debe quitar; además, lo más probable es que lo único que consigáis intentándolo es colarla para dentro en vez de sacarla, causándole un futuro tapón.

Lo mejor es que dejéis en manos del pediatra la revisión de sus oídos a no ser que notéis algo especialmente raro, como zumbidos, o que observéis alguna secreción; en este caso acudid lo antes posible a un especialista.

Si aun así no os podéis resistir a limpiárselos, hay bastoncillo con la punta muy gorda, lo cual impide hasta al papá más bruto dañar el oído.

Cremas, peines, colonias...

Una de las cosas que probablemente más os llame la atención es el ¡tremendo neceser que necesita un bebé! Podría parecer que a una criatura tan pequeña apenas le podrían hacer falta cuatro cosas, pero cuando os pongáis a revisar los productos que necesitaréis para su higiene diaria... Id pensando en reservarle un gran espacio en el cuarto de baño. En la lista de productos básicos no pueden faltar:

- Cepillo suave
- Peine
- Gel y champú especiales para bebé
- Colonia fresca
- Esponja
- Crema hidratante específica para el cuerpo
- Crema facial
- Crema para el culete
- Cepillo y pasta de dientes especial (cuando tenga dientes, claro)

- Suero fisiológico
- Tijeras para las uñas
- Toallitas húmedas
- Toalla de cuerpo con capucha
- Pañales o braguitas pañal
- Sacamocos
- Bastoncillos para la limpieza externa del oído

Y si además el bebé necesita algún producto especial recomendado por el pediatra, habrá que añadirlo.

Haceos a la idea de que la higiene corporal diaria de vuestro bebé es una necesidad básica para él y no un simple proceso de eliminación de suciedad. Un buen aseo es fundamental para su salud y para evitar que contraiga ningún tipo de infección, por lo que cada día tendréis que hacer una especie de ritual del baño... que puede llegar a ser de lo más placentero para él y para vosotros. Sus oídos, ojos, boca, genitales, cabello, piel... requieren un delicado cuidado con productos especiales que mantengan sano y protegido al nuevo miembro de la familia. Además, es fácil comprobar que el bebé se relaja en el baño y duerme mucho mejor.

Al bebé le van a gustar las cremas tanto como a mí

Otros cuidados

El sueño, el suyo y el vuestro

Al principio el bebé necesitará comer a menudo, por lo que os podéis preparar para no volver a dormir la noche entera de un tirón por un tiempo. Pero al margen de esta necesidad alimenticia, no debería haber problemas para que el bebé durmiera bien.

Los recién nacidos deberían pasar la mayoría del tiempo dormidos. Si el bebé no duerme y llora en su lugar, es que algo le incomoda. Lo normal es probar lo más tradicional, que es relajarlo, ver si está sucio, si tiene hambre, si no tiene fiebre, y en caso negativo volver a ponerlo a dormir.

El sueño en los bebés es muy importante, pero también lo es en los adultos. Si los adultos duermen, se pueden encargar mucho mejor del bebé que si se han pasado la noche en vela. Si vuestro bebé decide que no le gusta dormir, es importante que os turnéis para que los dos podáis descansar, aunque sea un mínimo de horas seguidas; el biberón solucionará el problema de tu falta de pecho.

En la actualidad hay dos corrientes enfrentadas en cuanto a este tema: los que piensan que el bebé debe dormir cuando quiere, comer cuando quiere, etc., y los del ala dura. Estos nos aconsejan marcar una rutina y cumplirla para que el bebé se acostumbre, aunque tengamos que dejar llorar al bebé horas. Ningún extremo es bueno, y en este caso tampoco.

Lo que está claro es que si el bebé duerme es preferible no despertarle aunque le toque comer, pues el sueño parece alimentarle tanto como la leche. A menos que sea un caso de desnutrición, no despiertes al bebé porque le toque comer. Esas recomendaciones las hace quien no lleva diez días durmiendo a ratitos.

El lugar en el que el bebé duerme también genera controversia: desde los que defienden que debe dormir con vosotros hasta los que con dos días le mandan a la habitación del fondo. Por lo general, lo más recomendable es que duerma en vuestra habitación, pero no en vuestra cama, durante unos meses para luego trasladarlo a la habitación. Es cierto que los bebés se acostumbran rápidamente a las nuevas rutinas, pero eso no significa que los dejemos llorar durante horas o no podamos meterlos nunca en nuestra cama.

Muchas de las noches de insomnio que pasaréis serán debidas a los famosos cólicos del lactante, y en este caso podemos hacer poca cosa aparte de consolar al bebé e intentar aliviarle dándole un masaje en la tripa. Paciencia y cariño, son solo unos meses. Si lo miras en perspectiva, de los 30 o 40 años que vivirá el bebé con vosotros, dos o tres meses no son nada.

Su ombligo

Cuando se corta el cordón umbilical que une al bebé con su madre, se coloca una pinza en él para evitar el sangrado. El trozo de cordón que sigue unido al bebé se suele caer entre tres y cinco días después, una vez ha cicatrizado la herida.

Para curar el ombligo las instrucciones son muy sencillas. Debemos limpiarlo diariamente con agua y jabón o con alcohol de 70 grados impregnado en una gasa. Después lo secaremos muy bien y tendremos cuidado de que no se enganche con el pañal o la ropa al vestir a nuestro bebé.

Hay quienes recomiendan no bañar al bebé hasta que se le haya caído el cordón, pero esto no tiene demasiado sentido; simplemente deberemos secarlo muy bien. Mantener el ombligo limpio y seco favorece su caída y ayuda a prevenir infecciones.

Nunca hay que tirar del ombligo, solo debemos dejar que se seque hasta que se caiga; da igual si está medio marrón y tiene mal aspecto, lo mejor es que se caiga por sí solo.

Su primera revisión

Después de haber superado el test de Apgar al nacer, el bebé se enfrentará a su segunda revisión a las 24 horas de vida. Esta comprobará:

- Estado de la fontanela, la zona blandita del cráneo que tardará unos meses en soldar.
- La simetría del bebé para detectar posibles lesiones ocasionadas en el parto.
- Su corazón y sus pulmones.
- Sus caderas para descartar luxaciones.
- Sus genitales, las piernas y los pies.
- Se le pincha en el talón para extraerle sangre con el fin de descartar ciertas enfermedades, y si está todo bien, está listo para irse a casa.

La siguiente revisión será a los quince días de vida. Esta revisión es tanto para la madre como para el bebé. En este caso la matrona comprobará cómo se cura el ombligo, si su color de piel es correcto, su tono muscular, su peso, su movilidad y sus reflejos.

Al mes de vida volveremos a llevarle al pediatra, que le someterá a la misma revisión que se le hizo a las 24 horas pero ya sin la prueba del talón.

Nos hará una larga lista de recomendaciones sobre cómo mantener la buena salud del bebé y lo fichará. Su talla, el perímetro craneal y su peso quedarán registrados por primera vez. A partir de este momento podremos ver cómo evoluciona el percentil del bebé, palabra a la que deberemos acostumbrarnos.

También le mirará los ojos y probará su audición; el resto de exámenes dependerá en gran medida del propio médico. Cada uno tiene su estilo, más o menos minucioso.

Índice

La semana del sexo es la 18. El resto está aquí

Espero sinceramente que este libro te sirva
para entender mejor el embarazo y
encararlo más tranquilo,
más informado y de mejor humor.

Mario
Padre de Mario y Violeta

TÍTULOS PUBLICADOS

CLAVES PARA AFRONTAR LA VIDA CON UN HIJO CON TDAH. « Mi cabeza... es como si tuviera mil pies», *I. Orjales Villar.*

CLAVES PARA ENTENDER A MI HIJO ADOLESCENTE, *G. Castillo Ceballos.*

CÓMO DAR ALAS A LOS HIJOS PARA QUE VUELEN SOLOS. El niño sombra de sus padres, *F. X. Méndez Carrillo, M. Orgilés Amorós y J. P. Espada Sánchez.*

DROGAS, ¿POR QUÉ? Educar y prevenir, *D. Macià Antón.*

EL NIÑO AGRESIVO, *I. Serrano Pintado.*

EL NIÑO ANTE EL DIVORCIO, *E. Fernández Ros y C. Godoy Fernández.*

EL NIÑO CON PROBLEMAS DE SUEÑO, *J. C. Sierra, A. I. Sánchez, E. Miró y G. Buela-Casal.*

EL NIÑO HIPERACTIVO, *I. Moreno García.*

EL NIÑO MIEDOSO, *F. X. Méndez.*

ENSEÑANDO A EXPRESAR LA IRA. ¿Es una emoción positiva en la evolución de nuestros hijos?, *M.ª del P. Álvarez Sandonís.*

ERRORES EN LA EDUCACIÓN DE LOS HIJOS. Cómo evitar los 25 más comunes, *J. Fernández Díez.*

ESTIMADO HIJO: LO HE HECHO LO MEJOR QUE HE SABIDO. Cartas para mi hijo adolescente, *J. M. Fernández Millán y P. Serrano Peña.*

GUÍA DE OCIO EN FAMILIA. El tiempo que pasamos juntos, *L. Liédana, T. I. Jiménez, E. Gargallo y E. Estévez.*

LA EDUCACIÓN SEXUAL DE LOS HIJOS, *F. López Sánchez.*

LA INTELIGENCIA EMOCIONAL DE LOS PADRES Y DE LOS HIJOS, *A. Vallés Arándiga.*

LOS JÓVENES Y EL ALCOHOL, *E. Becoña Iglesias y A. Calafat Far.*

LOS PADRES Y EL DEPORTE DE SUS HIJOS, *F. J. Ortín Montero.*

¿MI HIJO ES TÍMIDO?, *M.ª Inés Monjas Casares.*

MI HIJO ES ZURDO, *J. M. Ortigosa Quiles.*

MI HIJO TIENE CELOS, *J. M. Ortigosa Quiles.*

MI HIJO TIENE MANÍAS, *A. Gavino.*

MI HIJO Y LA TELEVISIÓN, *J. Bermejo Berros.*

MI HIJO Y LAS NUEVAS TECNOLOGÍAS, *J. Urra.*

MIS HIJOS Y TUS HIJOS. Crear una nueva familia y convivir con éxito, *S. Hayman.*

PADRES DESESPERADOS CON HIJOS ADOLESCENTES, *J. M. Fernández Millán y G. Buela-Casal.*

PADRES E HIJOS. Problemas cotidianos en la infancia, *M. Herbert.*

¿QUÉ ES LA BULIMIA? Un problema con solución, *M.ª A. Gómez, U. Castro, A. García, I. Dúo y J. Ramón Yela.*

QUEREMOS ADOPTAR UN NIÑO, *M. C. Medici Horcas*

SER PADRES. Educar y afrontar los conflictos cotidianos en la infancia, *D. Macià Antón.*

SOY MADRE, SOY PADRE. Educar con afecto, reflexión y ejemplo, *M.ª G. González González y M.ª J. Murgui Murgui.*

TDAH: Elegir colegio, afrontar los deberes y prevenir el fracaso escolar, *I. Orjales Villar.*

UN ADOLESCENTE EN MI VIDA, *D. Macià Antón.*

VAS A SER PAPÁ, *M. Guindel.*

Todo un mundo de sensaciones

Mi bebé de o a 6 meses
Vivir una experiencia emotiva a través del juego

Elizabeth Fodor
M.ª Carmen García-Castellón
Montserrat Morán

En este libro se presenta un programa diario ampliamente desarrollado y estructurado para la etapa que comprende desde el nacimiento hasta los seis meses de edad, aproximadamente. El objetivo es que, mediante el juego, puedas ayudar a tu hijo a alcanzar el máximo rendimiento de sus capacidades intelectuales y motrices y, de esta manera, consigas que sea un niño feliz. A medida que avances en su lectura sentirás la alegría y el entusiasmo de ir aprendiendo a contribuir a su desarrollo satisfactorio de una manera divertida y lúdica.

Si lo desea, en nuestra página web puede consultar el catálogo completo o descargarlo:

www.edicionespiramide.es